Cormac McCarthy **Die Straße** Roman

Deutsch von Nikolaus Stingl   Rowohlt Taschenbuch Verlag

Die Originalausgabe erschien 2006
unter dem Titel «The Road»
bei Alfred A. Knopf, New York

12. Auflage Juli 2018

Veröffentlicht im Rowohlt Taschenbuch Verlag,
Reinbek bei Hamburg, Juni 2008
Copyright © 2007 by Rowohlt Verlag GmbH,
Reinbek bei Hamburg
«The Road» Copyright © 2006 by M-71, Ltd.
Umschlaggestaltung David Pearson
Gesetzt aus der DTL Documenta ST, InDesign,
bei Pinkuin Satz und Datentechnik, Berlin
Druck und Bindung
CPI books GmbH, Leck, Germany
ISBN 978 3 499 24600 5

Das für dieses Buch verwendete Papier ist FSC®-zertifiziert.

Dieses Buch ist **John Francis McCarthy** gewidmet

Wenn er im Dunkel und in der Kälte der Nacht im Wald erwachte, streckte er den Arm aus, um das Kind zu berühren, das neben ihm schlief. Nächte, deren Dunkel alle Dunkelheit überstieg, und jeder Tag grauer als der vorangegangene. Wie das Wachstum eines kalten Glaukoms, das die Welt verdüsterte. Mit jedem kostbaren Atemzug hob und senkte sich weich seine Hand. Er schob die Plastikplane weg, richtete sich zwischen den stinkenden Fell- und Wolldecken auf und hielt Richtung Osten nach einer Spur von Licht Ausschau, aber es war nichts zu sehen. In dem Traum, aus dem er erwacht war, hatte er, von dem Kind an der Hand geführt, eine Höhle durchstreift. Das Licht ihrer Lampe spielte über die feuchten Sinterwände. Wie Pilger in einer Sage, von einem Granitungeheuer verschlungen und zwischen seinen inneren Organen verirrt. Tiefe Steinschächte, in denen das Wasser tropfte und sang, in der Stille ohne Unterlass die Minuten der Erde schlug, ihre Stunden, Tage und Jahre. Bis sie in einer großen Steinhalle standen, in der ein schwarzer, alter See lag. Und am anderen Ufer ein Lebewesen, das sein triefendes Maul aus dem Travertinbecken hob und mit toten Augen, weiß und blind wie Spinneneier, ins Licht starrte. Es schwang den Kopf tief über das Wasser, wie um Witterung von dem aufzunehmen, was es nicht sah. Kauerte dort bleich und nackt und durchscheinend, seine Alabasterknochen als Schatten auf die Felsen dahinter geworfen. Seine Eingeweide, sein schlagendes Herz. Das Gehirn, das in einer Glocke aus stumpfem Glas pulsierte.

Es schwang den Kopf hin und her, stieß dann ein leises Ächzen aus, drehte sich um, wankte davon und verschwand lautlos im Dunkel.

Beim ersten grauen Licht stand er auf, ließ den Jungen schlafen und ging auf die Straße, wo er sich niederhockte und die Landschaft im Süden musterte. Öde, stumm, gottverlassen. Er meinte, es sei Oktober, doch er war sich nicht sicher. Er hatte schon seit Jahren keinen Kalender mehr geführt. Sie zogen Richtung Süden. Noch ein Winter hier war nicht zu überleben.

Als es hell genug wurde, um das Fernglas zu benutzen, suchte er das unter ihm liegende Tal ab. Alles verblasste in die Düsterkeit. Über dem Asphalt flog in lockeren Wirbeln die weiche Asche. Er musterte, was er sehen konnte. Die Straßenabschnitte dort unten zwischen den toten Bäumen. Er hielt nach Farbigem Ausschau. Nach irgendeiner Bewegung. Irgendeiner Spur von stehendem Rauch. Er senkte das Fernglas, zog sich den Baumwollmundschutz vom Gesicht, wischte sich mit dem Handrücken die Nase und suchte dann erneut die Landschaft ab. Dann saß er, in der Hand das Fernglas, einfach nur da und sah zu, wie das aschene Tageslicht über dem Land gerann. Er wusste nur, dass das Kind seine Rechtfertigung war. Er sagte: Wenn er nicht das Wort Gottes ist, hat Gott nie gesprochen.

Der Junge schlief noch, als er zurückkam. Er zog die blaue Plastikplane von ihm herunter, faltete sie zusammen, trug sie zu dem Einkaufswagen, verstaute sie und kam mit ihren Tellern, ein paar Maismehlfladen in einer Plastiktüte und einer Plastikflasche mit Sirup zurück. Er breitete die kleine Plane, die sie als Tisch benutzten, auf den Boden, legte alles darauf aus, zog den Revolver aus seinem Gürtel, legte ihn ebenfalls auf das Tuch und sah dann einfach dem Jungen beim Schlafen zu. Der Junge hatte sich in der Nacht den Mundschutz abgestreift, der irgendwo zwischen den Decken vergraben war. Er sah dem Jungen zu und blickte dabei immer wieder zwischen den Bäumen hindurch in Richtung Straße. Das war kein sicherer Ort. Nun, da es Tag war, konnte man sie beide von der Straße aus sehen. Der Junge drehte sich zwischen den Decken herum. Dann schlug er die Augen auf. Hi, Papa, sagte er.

Ich bin da.

Ich weiß.

Eine Stunde später waren sie unterwegs. Er schob den Wagen, und sowohl er als auch der Junge trugen Rucksäcke. Die Rucksäcke enthielten Wesentliches. Falls sie den Wagen aufgeben und sich aus dem Staub machen mussten. Am Griff des Wagens war ein verchromter Motorradspiegel befestigt, mit dem er die Straße hinter ihnen im Auge behielt. Er rückte seinen Rucksack zurecht und blickte hinaus auf das verwüstete Land. Die Straße war leer. Unten in dem kleinen Tal die noch graue Schlangenlinie eines Flusses. Reglos und präzise. Entlang dem Ufer ein Packen toten Schilfs. Geht's dir gut?, fragte er. Der Junge nickte. Dann marschierten sie im stahlgrauen Licht die Asphaltstraße entlang, schlurften durch die Asche, jeder die ganze Welt des anderen.

Sie überquerten den Fluss auf einer alten Betonbrücke und stießen ein paar Kilometer weiter auf eine Tankstelle, die sie von der Straße aus in Augenschein nahmen. Ich finde, wir sollten sie uns mal genauer ansehen, sagte der Mann. Einen Blick hineinwerfen. Das Unkraut, das sie durchwateten, zerfiel um sie herum zu Staub. Sie überquerten das Vorfeld aus rissigem Asphalt und fanden den Tank für die Zapfsäulen. Der Deckel war verschwunden, und der Mann ließ sich auf alle viere nieder, um an dem Stutzen zu riechen, aber der Benzingeruch war nur noch zu erahnen, schwach und schal. Er stand auf und ließ seinen Blick über das Gebäude wandern. Die Schläuche der Zapfsäulen waren merkwürdigerweise noch ordentlich eingehängt. Die Fenster unversehrt. Das Tor zur Werkstatt stand offen, und er ging hinein. An einer Wand ein Werkzeugschrank aus Blech. Er durchsuchte die Schubladen, aber es war nichts darin, was er gebrauchen konnte. Gute Schraubendrehereinsätze. Eine Ratsche. Er sah sich in der Werkstatt um. Ein Metallfass voller Abfall. Er ging ins Büro. Überall Staub und Asche. Der Junge stand in der Tür. Ein Schreibtisch aus Metall, eine Registrierkasse. Ein paar alte Reparaturhandbücher, aufgequollen und nass. Wegen des undichten Dachs war das Linoleum fleckig und wellte sich. Er ging zum Schreibtisch hinüber und verharrte einen Moment lang. Dann nahm er den Hörer ab und wählte die Nummer seines Vaters aus jener lang vergangenen Zeit. Der Junge sah ihm zu. Was machst du da?, fragte er.

Fünfhundert Meter weiter blieb er stehen und blickte zurück. Wir denken nicht nach, sagte er. Wir müssen zurück. Er schob den Wagen von der Straße und kippte ihn um, sodass er nicht mehr zu sehen war, sie legten ihre Rucksäcke ab und gingen zu der Tankstelle zurück. In der Werkstatt zerrte er die Metalltonne mit dem Abfall von der Wand, kippte sie um und sortierte sämtliche Plastik-Ölflaschen aus. Dann saßen sie auf dem Boden und ließen den Bodensatz aus den leeren Flaschen ab, indem sie eine nach der anderen verkehrtherum in einen Topf stellten, bis sie am Ende fast einen Viertelliter Motoröl gewonnen hatten. Er schraubte den Plastikdeckel fest, wischte die Flasche mit einem Lappen ab und wog sie in der Hand. Öl für ihre kleine Funzel, um die langen grauen Morgen- und Abenddämmerungen zu erhellen. Dann kannst du mir eine Geschichte vorlesen, sagte der Junge. Oder, Papa? Ja, sagte er.

Auf der anderen Seite des Flusstals führte die Straße durch völlig verbranntes schwarzes Gelände. In alle Richtungen erstreckten sich verkohlte, astlose Baumstümpfe. Asche wehte über die Straße, und von den geschwärzten Strommasten hingen wie schlaffe Hände abgerissene Kabel und wimmerten dünn im Wind. Auf einer Lichtung ein abgebranntes Haus, dahinter ein Streifen Weideland, öde und grau, und ein nackter roter Erdwall von einer verlassenen Baustelle. Weiter weg Reklametafeln, die für Motels warben. Alles, wie es einmal gewesen war, nur verblichen und verwittert. Auf der Hügelkuppe standen sie in Kälte und Wind und verschnauften. Er sah den Jungen an. Alles in Ordnung, sagte der Junge. Der Mann legte ihm die Hand auf die Schulter und deutete mit einer Kopfbewegung zu dem offenen Land hin, das unter ihnen lag. Er nahm das Fernglas aus dem Wagen und suchte die Ebene dort unten ab, wo sich im Grau der Umriss einer Stadt erhob wie eine auf die Einöde geworfene Kohleskizze. Nichts zu sehen. Kein Rauch. Darf ich mal schauen?, fragte der Junge. Ja. Natürlich. Der Junge stützte sich auf den Wagen und stellte die Schärfe nach. Was siehst du?, fragte der Mann. Nichts. Er senkte das Fernglas. Es regnet. Ja, sagte der Mann. Ich weiß.

Sie ließen den Wagen, mit der Plane abgedeckt, in einer trockenen Rinne und stiegen zwischen den dunklen Stangen der stehengebliebenen Bäume hindurch den Hang hinauf bis zu einer Stelle, wo er ein Felsgesims gesehen hatte, und unter dessen Vorsprung saßen sie und sahen zu, wie die grauen Regenwände über das Tal wehten. Es war sehr kalt. Sie kauerten aneinander, jeder zusätzlich zur Jacke in eine Decke gehüllt, und nach einer Weile hörte es auf zu regnen, und es fielen nur noch vereinzelt Tropfen von den Zweigen.

Als es aufgeklart hatte, gingen sie zu dem Wagen hinunter, zogen die Plane weg und holten ihre Decken und alles, was sie für die Nacht brauchten. Sie stiegen den Hügel wieder hinauf, schlugen auf der trockenen Erde unter den Felsen ihr Lager auf, und der Mann legte die Arme um den Jungen, um ihn zu wärmen. In die Decken gewickelt, sahen sie zu, wie das namenlose Dunkel kam, um sie einzuhüllen. Die grauen Konturen der Stadt verschwanden mit dem Einbruch der Nacht wie eine Erscheinung, und er zündete die kleine Lampe an und stellte sie an eine windgeschützte Stelle. Dann gingen sie auf die Straße hinaus, er nahm den Jungen bei der Hand, sie marschierten bis zur Hügelkuppe, dem höchsten Punkt der Straße, von wo sie über das dunkler werdende Land nach Süden blicken konnten und, im Wind stehend und in ihre Decken gewickelt, nach Anzeichen eines Feuers oder einer Lampe Ausschau hielten. Es war nichts zu sehen. Die Lampe zwischen den Felsen am Hang des Hügels war kaum mehr als ein Lichtpünktchen, und nach einer Weile gingen sie zurück. Alles zu feucht, um ein Feuer zu machen. Sie aßen ihre kärgliche Mahlzeit kalt und legten sich dann, die Lampe zwischen sich, in ihrem Bettzeug nieder. Er hatte das Buch des Jungen mitgenommen, aber der Junge war zu müde für eine Geschichte. Können wir die Lampe anlassen, bis ich eingeschlafen bin?, fragte er. Ja. Natürlich.

Er brauchte lange, um einzuschlafen. Nach einer Weile wandte er sich dem Mann zu und sah ihn an. Sein Gesicht war im trüben Licht vom Regen schwarz gestreift, wie bei einem Schauspieler der alten Welt. Darf ich dich mal was fragen?, sagte er.

Ja. Natürlich.

Werden wir sterben?

Irgendwann schon. Aber jetzt noch nicht.

Gehen wir immer noch nach Süden?

Ja.

Damit wir es warm haben.

Ja.

Okay.

Okay was?

Nichts. Einfach nur okay.

Schlaf jetzt.

Okay.

Ich puste die Lampe aus. Ist das okay?

Ja. Das ist okay.

Und dann später, in der Dunkelheit: Darf ich dich mal was fragen?

Ja. Natürlich.

Was würdest du machen, wenn ich sterben würde?

Wenn du sterben würdest, würde ich auch sterben wollen.

Damit du mit mir zusammen sein kannst?

Ja. Damit ich mit dir zusammen sein kann.

Okay.

Er lag da und lauschte dem im Wald tropfenden Wasser. Muttergestein, das. Die Kälte und die Stille. Die Asche der vorigen Welt von den rauen, irdischen Winden in der Leere hin- und hergeweht. Herangeweht, verstreut und abermals herangeweht. Alles aus seiner Verankerung gelöst. Ohne Halt in der aschenen Luft. Getragen von einem Atemhauch, zitternd und kurz. Wenn nur mein Herz aus Stein wäre.

Er wachte vor Morgengrauen auf und sah zu, wie der graue Tag anbrach. Langsam und halb undurchsichtig. Während der Junge noch schlief, stand er auf, zog sich seine Schuhe an und marschierte, in seine Decke gewickelt, zwischen die Bäume. Er stieg in einen Felsspalt ab, wo er sich hustend zusammenkrümmte und lange Zeit weiterhustete. Dann kniete er einfach in der Asche. Er hob das Gesicht dem erblassenden Tag entgegen. Bist du da?, flüsterte er. Werde ich dich endlich sehen? Hast du einen Hals, damit ich dich erwürgen kann? Hast du ein Herz? Hol dich der Teufel, hast du eine Seele? O Gott, flüsterte er. O Gott.

Am Mittag des folgenden Tages durchquerten sie die Stadt. Der Revolver lag griffbereit auf der gefalteten Plane oben im Wagen. Er ließ den Jungen dicht neben sich gehen. Die Stadt war größtenteils ausgebrannt. Keinerlei Anzeichen von Leben. Autos auf der Straße mit einer Aschenkruste überzogen, alles von Asche und Staub bedeckt. Im getrockneten Schlick Fossilien. In einem Eingang ein ledrig mumifizierter Leichnam. Der dem Tag eine Grimasse schnitt. Er zog den Jungen näher an sich heran. Vergiss nicht, dass das, was du in deinen Kopf lässt, für immer dort bleibt. Vielleicht denkst du mal darüber nach.

Aber manches vergisst man doch, oder?

Ja. Was man behalten will, vergisst man, und was man vergessen will, behält man.

Eine Meile von der Farm seines Onkels entfernt gab es einen See, wo sein Onkel und er im Herbst Feuerholz zu holen pflegten. Er saß im Heck des Ruderbootes und ließ seine Hand durch das kalte Kielwasser gleiten, während sein Onkel sich in die Riemen legte. Die Füße des Alten in ihren schwarzen Kinderschuhen gegen die Spanten gestemmt. Sein Strohhut. Die Maiskolbenpfeife zwischen seinen Zähnen und am Pfeifenkopf ein dünner, leicht schwingender Sabberfaden. Er drehte sich nach hinten, um das andere Ufer anzupeilen, klemmte sich die Ruderschäfte unter die Arme und nahm die Pfeife aus dem Mund, um sich mit dem Handrücken das Kinn zu wischen. Das Ufer säumten Birken, die sich bleich wie Gebeine von den Nadelbäumen dahinter abhoben. Der Ufersaum ein Wirrwarr verkrümmter Stümpfe, grau und verwittert, Windbruch eines Jahre zurückliegenden Sturms. Die Bäume selbst waren längst zersägt und als Feuerholz fortgeschafft worden. Sein Onkel wendete das Boot und legte die Ruder ein, und sie trieben über die sandigen Untiefen, bis das Heck im Sand knirschte. Ein toter Flussbarsch trieb bauchoben im klaren Wasser. Gelbe Blätter. Sie ließen ihre Schuhe auf den warmen, gestrichenen Brettern, zogen das Boot auf den Strand und brachten den an einem Tau befestigten Anker aus. Ein mit Beton ausgegossener Schweinefetteimer mit einem Ringbolzen in der Mitte. Sie gingen am Ufer entlang, während sein Onkel, ein zusammengerolltes Seil über der Schulter, die Baumstümpfe in Augenschein nahm und dabei seine Pfeife paffte. Er suchte einen aus, und sie wälzten ihn, die Wurzeln als Hebel nutzend, so lange herum, bis er halb im Wasser schwamm. Die Hosen bis zu den Knien aufgekrempelt, aber sie wurden trotzdem nass. Sie befestigten das Seil an einer Klampe am Heck des Bootes und ruderten über den See zurück, zogen den Stumpf langsam ruckend hinter sich her. Da war es schon Abend. Nur das langsame, regelmäßige Knarren und Schurren der Dollen. Der See dunkles Glas, und am Ufer gingen Fensterlichter an. Irgendwo ein Radio. Keiner von ihnen hatte ein Wort gesagt. Das war der vollkommene Tag seiner Kindheit. Der Tag, dem es nachzueifern galt.

In den folgenden Tagen und Wochen hielten sie sich weiterhin südlich. Einsam und hartnäckig. Unwirtliches Hügelland. Aluminiumverkleidete Häuser. Zuweilen konnten sie zwischen den kahlen Beständen von Nachwuchsholz hindurch Abschnitte des Interstate Highway sehen. Kalt, und es wurde immer kälter. Unmittelbar hinter dem hohen Sattel in den Bergen blieben sie stehen und blickten hinaus über die große Kluft nach Süden, wo das Land, so weit das Auge reichte, abgebrannt war: Geschwärzte Felsformationen ragten aus den Aschebänken, Ascheschwaden wallten auf und wehten durch die Einöde Richtung Flachland. Hinter der Düsternis zog die stumpfe Sonne kaum sichtbar ihre Bahn.

Sie brauchten Tage, um dieses kauterisierte Gelände zu durchqueren. Der Junge hatte ein paar Buntstifte gefunden und seinen Mundschutz mit Fangzähnen versehen, und er trottete, ohne zu klagen, dahin. Eines der Vorderräder des Wagens hatte zu eiern angefangen. Was tun? Nichts. Wo alles vor ihnen zu Asche verbrannt war, ließ sich kein Feuer machen, und die Nächte waren länger, dunkler und kälter als alles, was sie bisher erlebt hatten. Eine Kälte, die Steine zerspringen ließ. Einen das Leben kosten konnte. In der Schwärze drückte er den zitternden Jungen an sich und zählte jeden zarten Atemzug.

Er erwachte zu fernem Donnergrollen und setzte sich auf. Überall um ihn herum schwaches Licht, zitternd und ursprungslos, im Gestöber von Rußflocken gebrochen. Er zog die Plane um sie beide und lag lange Zeit lauschend wach. Falls sie nass wurden, konnten sie kein Feuer machen, um sich daran zu trocknen. Falls sie nass wurden, würden sie wahrscheinlich sterben.

Die Schwärze, in der er in jenen Nächten erwachte, war blind und undurchdringlich. Eine Schwärze, dass einen vom Lauschen die Ohren schmerzten. Oft musste er aufstehen. Kein Geräusch außer dem Wind zwischen den kahlen, geschwärzten Bäumen. Er stand auf und stand wankend in diesem kalten, sich selbst genügenden Dunkel, die Arme ausgestreckt, um das Gleichgewicht zu halten, während der Vestibularapparat in seinem Schädel seine Berechnungen anstellte. Eine alte Chronik. Um die Senkrechte zu ermitteln. Kein Sturz, dem nicht eine Abweichung vorausginge. Er machte große Marschierschritte in das Nichts, zählte sie ab, um wieder zurückzufinden. Mit geschlossenen Augen und rudernden Armen. Senkrecht wozu? Zu etwas Namenlosem in der Nacht, Erzgang oder Grundmasse. Dessen gemeinsamer Satellit er und die Sterne waren. Wie das große Pendel in seiner Rotunde, das den langen Tag hindurch Bewegungen des Universums verzeichnet, von dem es, kann man sagen, nichts weiß und doch, so weiß man, wissen muss.

Sie brauchten zwei Tage, um dieses aschig verschorfte Terrain zu durchqueren. Die Straße dahinter verlief entlang einem Hügelkamm, von dem beidseits ödes Waldland abfiel. Es schneit, sagte der Junge. Er blickte zum Himmel auf. Eine einzige graue Flocke schwebte herab. Er fing sie mit der Hand und sah zu, wie sie darauf zerging wie die letzte Hostie der Christenheit.

Sie gingen weiter, die Plane über sich gezogen. Die feuchten grauen Flocken wirbelten und rieselten aus dem Nichts. Am Straßenrand grauer Matsch. Unter den durchweichten Ascheverwehungen rann schwarzes Wasser hervor. Auf den fernen Kämmen keine Freudenfeuer mehr. Die Blutsekten, dachte er, müssen sich allesamt gegenseitig vertilgt haben. Niemand war auf dieser Straße unterwegs. Keine Straßenräuber, keine Marodeure. Nach einer Weile kamen sie zu einer Autowerkstatt an der Straße, stellten sich in der offenen Tür unter und schauten hinaus auf den grauen Schneeregen, der in Böen vom Hochland herabwehte.

Sie suchten ein paar alte Holzkisten zusammen und entzündeten auf dem Boden ein Feuer, und er fand ein paar Werkzeuge, leerte den Wagen und machte sich an dem Rad zu schaffen. Er zog den Bolzen, bohrte mit einem Handbohrer den Innenring aus und setzte eine neue Buchse ein, ein Stück Rohr, das er mit einer Metallsäge auf die passende Länge zugeschnitten hatte. Dann schraubte er alles wieder zusammen, stellte den Wagen auf die Räder und schob ihn über den Boden. Er lief ziemlich rund. Der Junge saß da und sah sich alles an.

Am Morgen zogen sie weiter. Wüstes Land. Ein an ein Scheunentor genageltes Bärenfell. Räudig. Strähniger Schwanz. In der Scheune drei an den Balken hängende Leiber, vertrocknet und staubig zwischen den fahlen Lichtstreifen. Hier könnte es was geben, sagte der Junge. Hier könnte es Mais oder so was geben. Gehen wir, sagte der Mann.

Am meisten Sorgen machten ihm ihre Schuhe. Das und das Essen. Immer das Essen. In einem alten, mit Schindeln verkleideten Räucherschuppen fanden sie einen Schinken, der an einem Spriegel in einer hohen Ecke hing. Er sah aus wie etwas aus einer Gruft Gehobenes, ganz vertrocknet und schrumpelig. Er schnitt ihn mit seinem Messer an. Im Inneren tiefrotes und salziges Fleisch. Nahrhaft und gut. An diesem Abend brieten sie ihn in dicken Scheiben über ihrem Feuer, und die Scheiben köchelten sie zusammen mit einer Dose Bohnen. Später wachte er im Dunkeln auf, und ihm war, als habe er irgendwo in den flachen dunklen Hügeln Ochsenfelltrommeln schlagen hören. Dann drehte der Wind, und es herrschte nur noch Stille.

In Träumen kam aus einem grünbelaubten Baldachin seine bleiche Braut zu ihm. Ihre Brustwarzen mit Pfeifenton geweißt, die Rippen weiß bemalt. Sie trug ein hauchdünnes Kleid, und ihr dunkles Haar war mit Elfenbein- und Perlmuttkämmen aufgesteckt. Ihr Lächeln, ihre niedergeschlagenen Augen. Am Morgen schneite es wieder. Kleine graue Eisperlen auf die Stromkabel über ihnen aufgezogen.

Er misstraute alledem. Er sagte, die richtigen Träume für einen Mann in Gefahr seien Träume von Gefahr, und alles andere sei die Lockung der Trägheit und des Todes. Er schlief wenig, und er schlief schlecht. Er träumte, sie gingen durch einen blühenden Wald, wo Vögel vor ihnen herflogen und der Himmel von schmerzhaftem Blau war, aber er lernte, sich aus solchen Sirenenwelten herauszureißen. Und lag dort im Dunkeln, während in seinem Mund der unheimliche Nachgeschmack eines Pfirsichs aus einem Phantomobstgarten schwand. Er dachte, wenn er lange genug lebte, werde die Welt endlich ganz und gar untergehen. Werde, wie die sterbende Welt, welche die frisch Erblindeten bewohnen, langsam ganz aus dem Gedächtnis schwinden.

Aus Tagträumen unterwegs gab es kein Erwachen. Er trottete weiter. Er hatte von ihr noch alles in Erinnerung, außer ihrem Geruch. Wie er neben ihr in einem Theater saß, vorgebeugt, um der Musik zu lauschen. Goldene Voluten und Wandleuchter und zu beiden Seiten der Bühne die hohen, säulenartigen Falten der Vorhänge. Sie hielt seine Hand in ihrem Schoß, und durch den dünnen Stoff ihres Sommerkleides konnte er den oberen Rand ihrer Strümpfe fühlen. Dieses Bild bewahren.

Und nun schick ruhig deine Dunkelheit und Kälte, und der Teufel soll dich holen.

Aus zwei alten Besen, die er gefunden hatte, bastelte er ein Räumgerät, das er mit Draht vor den Rädern des Wagens befestigte, um Hindernisse zu beseitigen, dann setzte er den Jungen in den Korb, stellte sich wie der Führer eines Hundeschlittens auf die hintere Querstange, und sie fuhren hügelabwärts, wobei sie den Wagen in den Kurven wie Schlittenfahrer durch Verlagerung ihres Körpergewichts lenkten. Es war seit langem das erste Mal, dass er den Jungen lächeln sah.

Auf der Hügelkuppe beschrieb die Straße eine Kurve, in der sich eine Haltebucht befand. Ein alter Pfad, der in den Wald führte. Sie gingen ihn ein Stück, setzten sich auf eine Bank und blickten hinaus über das Tal, wo das Land sich sanft gewellt in grießigem Nebel verlor. Weiter unten ein See. Kalt, grau und schwer in dem leergefegten Becken der Landschaft.

Was ist das da, Papa?

Das ist ein Damm.

Wozu ist der?

Er hat den See entstehen lassen. Bevor sie den Damm gebaut haben, war da unten bloß ein Fluss. Das Wasser, das durch den Damm fließt, hat große Ventilatoren angetrieben, die man Turbinen nennt, und die haben Strom erzeugt.

Um Licht zu machen.

Ja. Um Licht zu machen.

Können wir hinuntergehen und ihn uns anschauen?

Ich glaube, das ist zu weit.

Wird der Damm noch lange da sein?

Ich denke schon. Er besteht aus Beton. Wahrscheinlich wird er noch Hunderte von Jahren da sein. Vielleicht sogar Tausende.

Meinst du, es könnte im See Fische geben?

Nein. Im See gibt es nichts.

In jener lang vergangenen Zeit hatte er irgendwo hier ganz in der Nähe zugesehen, wie ein Falke die lange blaue Wand des Berges herabgestürzt war, mit dem Kiel seines Brustbeins aus einem Zug Kraniche das innerste Tier herausgeschossen und es zum Fluss hinuntergetragen hatte, ein schlackerndes, knochenloses Bündel, das durch die stille Herbstluft eine Spur aus losen, taumelnden Federn zog.

Die körnige Luft. Deren Geschmack einem nie aus dem Mund ging. Sie standen im Regen wie Tiere auf dem Bauernhof. Dann gingen sie weiter, hielten im eintönigen Geniesel die Plane über sich. Ihre Füße waren nass und kalt, und ihre Schuhe gingen kaputt. Auf den Hängen altes Getreide, tot und niedergedrückt. Die öde Kammlinie im Regen rau und schwarz.

Und die Träume so farbenreich. Wie sonst würde der Tod einen locken? Beim Erwachen im kalten Morgendämmer wurde alles sofort zu Asche. Wie alte, jahrhundertelang in Grabkammern verborgene Fresken, die plötzlich dem Tageslicht ausgesetzt werden.

Es klarte auf, und sie gelangten mit der Kälte endlich in das breite, tiefgelegene Flusstal, das zusammengestückelte Ackerland noch erkennbar, alles entlang dem öden Schwemmland tot bis auf die Wurzeln. Sie trotteten auf der Straße weiter. Große, mit Schindeln verkleidete Häuser. Dächer aus maschinengewalztem Blech. Auf einem Feld eine Holzscheune mit einer verblassten Reklame in drei Meter hohen Buchstaben auf der Dachschräge. Besuchen Sie Rock City.

Die Hecken am Straßenrand hatten sich in Reihen schwarzer, verkrümmter Dornensträucher verwandelt. Kein Anzeichen von Leben. Er ließ den Jungen mit dem Revolver in der Hand auf der Straße zurück, stieg ein paar alte Kalksteinstufen hinauf, ging die Veranda des Farmhauses entlang und spähte durch die Fenster. Er verschaffte sich durch die Küche Einlass. Auf dem Boden Müll, alte Zeitungen. Porzellan in einem Vitrinenschrank, Tassen an ihren Haken. Er ging den Flur entlang und blieb in der Tür zum Wohnzimmer stehen. In der Ecke stand ein altes Harmonium. Ein Fernseher. Billige Polstermöbel zusammen mit einer alten Chiffoniere aus Kirschholz. Er stieg die Treppe hinauf und machte einen Gang durch die Schlafzimmer. Alles mit Asche bedeckt. Ein Kinderzimmer, auf der Fensterbank ein Plüschhund, der in den Garten hinausblickte. Er durchsuchte die Schränke. Er zog die Betten ab, und seine Ausbeute waren zwei gute Wolldecken, mit denen er die Treppe hinunterging. In der Speisekammer standen drei Gläser mit eingemachten Tomaten. Er blies den Staub von den Deckeln und nahm sie genauer in Augenschein. Jemand vor ihm hatte ihnen nicht getraut, und am Ende tat auch er es nicht, ging mit den Decken über der Schulter hinaus, und sie machten sich wieder auf den Weg die Straße entlang.

Am Stadtrand kamen sie zu einem Supermarkt. Auf dem mit Abfall übersäten Parkplatz ein paar alte Autos. Sie ließen ihren Einkaufswagen draußen stehen und gingen durch die vermüllten Gänge. In der Obst- und Gemüseabteilung fanden sie auf dem Boden der Behälter ein paar alte grüne Bohnen und einige längst zu schrumpeligen Abbildern ihrer selbst vertrocknete Aprikosen. Der Junge folgte ihm auf Schritt und Tritt. Sie schoben sich durch die Hintertür hinaus. In der Gasse hinter dem Supermarkt ein paar Einkaufswagen, alle stark verrostet. Sie gingen erneut durch den Laden, um einen anderen Wagen zu finden, aber es gab keinen. Am Eingang befanden sich zwei Limonadenautomaten, die auf den Boden gekippt und mit einer Brechstange aufgestemmt worden waren. Überall in der Asche Münzen. Er ging in die Hocke und fuhr mit der Hand durch das Innere der ausgeweideten Maschinen, und in der zweiten schloss sie sich um einen kalten Metallzylinder. Er zog die Hand langsam zurück und hatte eine Coca-Cola-Dose vor sich.

Was ist das, Papa?

Was Feines. Für dich.

Was ist das?

Hier. Setz dich.

Er lockerte die Trageriemen am Rucksack des Jungen, stellte die Last hinter ihm auf dem Boden ab, schob den Daumennagel unter die Aluminiumlasche im Deckel der Dose und öffnete sie. Er hielt die Nase in das aus der Dose dringende leichte Perlen und reichte sie dann dem Jungen. Na los, sagte er.

Der Junge nahm die Dose. Das sprudelt, sagte er.

Na los.

Er sah seinen Vater an, dann kippte er die Dose und trank. Er überlegte einen Moment. Es schmeckt richtig gut, sagte er.

Ja.

Trink auch was, Papa.

Ich möchte, dass du es trinkst.

Trink auch was.

Er nahm die Dose, trank einen kleinen Schluck und reichte sie zurück. Trink du es, sagte er. So lange bleiben wir einfach hier sitzen.

Weil ich nie mehr eine andere zu trinken kriege, stimmt's?

Nie mehr ist eine lange Zeit.

Okay, sagte der Junge.

In der Abenddämmerung des nächsten Tages waren sie in der Stadt. Die langen Betonbögen der Interstate-Kreuze vor der fernen Düsternis wie die Ruinen eines riesigen Lachkabinetts. Er trug den Revolver vorne im Gürtel und hatte den Reißverschluss seines Parkas nicht zugezogen. Überall mumifizierte Tote. Das Fleisch entlang den Knochen aufgeplatzt, die Bänder zu Riemen vertrocknet und straff wie Drähte. Verschrumpelt und ausgemergelt wie Moorleichen der letzten Tage, ihre Gesichter wie gekochte Rohbaumwolle, ihre Zähne ein gelbes Staket. Wie Pilger irgendeines einfachen Ordens waren sie allesamt barfuß, denn ihre Schuhe waren längst gestohlen.

Sie gingen weiter. Im Rückspiegel hielt er ständig nach hinten Ausschau. Das Einzige, was sich auf den Straßen bewegte, war die wehende Asche. Sie gingen über die hohe Betonbrücke, die den Fluss überspannte. Unten eine Hafenanlage. Kleine, halb im Wasser versunkene Vergnügungsboote. Flussabwärts hohe Schornsteine, trübe im Ruß.

Am nächsten Tag stießen sie ein paar Meilen südlich der Stadt auf ein halb im toten Gestrüpp verborgenes, altes Holzrahmenhaus mit Kaminen, Giebelfenstern und einer Steinmauer. Der Mann blieb stehen. Dann schob er den Wagen die Einfahrt hinauf.

Was ist das hier, Papa?

Das ist das Haus, in dem ich aufgewachsen bin.

Der Junge betrachtete es. Von den unteren Wänden waren die Holzschindeln mit dem abblätternden Anstrich weitgehend abgebrochen und als Feuerholz verwendet worden, sodass die Pfosten und die Isolierung freilagen. Das verrottete Fliegengitter der hinteren Veranda lag auf der Betonterrasse.

Gehen wir hinein?

Warum nicht?

Ich habe Angst.

Willst du denn nicht sehen, wo ich mal gewohnt habe?

Nein.

Es passiert nichts.

Es könnte jemand da sein.

Das glaube ich nicht.

Aber wenn doch?

Er blickte zum Giebelfenster seines früheren Zimmers auf. Dann sah er den Jungen an. Willst du hier warten?

Nein. Das sagst du immer.

Tut mir leid.

Ich weiß. Aber du machst es trotzdem.

Sie legten ihre Rucksäcke ab, ließen sie auf der Terrasse stehen, wateten durch den Abfall auf der Veranda und schoben sich in die Küche. Der Junge hielt sich an seiner Hand fest. Alles weitgehend so, wie er es in Erinnerung hatte. Die Zimmer leer. In dem kleinen, vom Esszimmer abgehenden Raum ein nacktes, eisernes Bettgestell, ein Klapptisch aus Metall. In dem kleinen Kamin noch derselbe gusseiserne Rost. Die Kiefernholzvertäfelung war von den Wänden verschwunden, so dass das Futterholz bloßlag. Mit dem Daumen ertastete er im gestrichenen Holz des Kaminsimses die Löcher von Reißnägeln, die vor vierzig Jahren Strümpfe gehalten hatten. Hier haben wir Weihnachten gefeiert, als ich ein Kind war. Er drehte sich um und schaute hinaus auf die Einöde des Gartens. Ein Gewirr toten Flieders. Der Umriss einer Hecke. In kalten Winternächten, wenn bei Sturm der Strom ausgefallen ist, haben wir hier am Kamin gesessen, meine Schwestern und ich, und unsere Hausaufgaben gemacht. Der Junge sah ihm zu. Sah Schemen, die er nicht sehen konnte, von ihm Besitz ergreifen. Wir sollten gehen, Papa, sagte er. Ja, sagte der Mann. Aber er tat es nicht.

Sie gingen durch das Esszimmer, wo der Schamottestein im Herd noch so gelb war wie an dem Tag, an dem man ihn gelegt hatte, weil seine Mutter es nicht ertragen konnte, ihn geschwärzt zu sehen. Der Boden von Regenwasser gewellt. Im Wohnzimmer die Knochen eines kleinen Tiers, zerstückelt und zu einem Häufchen geschichtet. An der Tür ein Trinkglas. Der Junge packte ihn an der Hand. Sie stiegen die Treppe hinauf und gingen den Flur entlang. Auf dem Boden standen kleine, feuchte Gipskegel. Die Holzlatten der Decke lagen frei. Er stand in der Tür seines Zimmers. Ein kleines Kabuff unter dem First. Hier habe ich geschlafen. Mein Bett stand an der Wand da. Nachts zu Tausenden die Träume einer Kinderphantasie zu träumen, herrliche oder schreckliche Welten, doch niemals die, die sein würde. Als er die Schranktür öffnete, rechnete er halb damit, seine Kindersachen vorzufinden. Vom Dach fiel rohes, kaltes Tageslicht ein. Grau wie sein Herz.

Wir sollten gehen, Papa. Können wir jetzt gehen?

Ja. Wir können gehen.

Ich habe Angst.

Ich weiß. Es tut mir leid.

Ich habe wirklich Angst.

Schon gut. Wir hätten nicht herkommen sollen.

Drei Nächte später wachte er in den Ausläufern der östlichen Berge in der Dunkelheit auf und hörte etwas kommen. Er hatte beide Hände seitlich neben sich. Der Boden zitterte. Es kam auf sie zu.

Papa?, sagte der Junge. Papa?

Pst. Alles in Ordnung.

Was ist das, Papa?

Es näherte sich, wurde lauter. Alles zitterte. Dann lief es unter ihnen durch wie eine U-Bahn, zog in die Nacht davon und war fort. Der Junge klammerte sich weinend an ihn, den Kopf an seiner Brust vergraben. Pst. Alles in Ordnung.

Ich habe solche Angst.

Ich weiß. Alles in Ordnung. Es ist weg.

Was war das, Papa?

Das war ein Erdbeben. Jetzt ist es weg. Uns kann nichts passieren. Pst.

In jenen ersten Jahren waren die Straßen mit Flüchtlingen bevölkert, die ihre Kleidung wie ein Leichentuch trugen, Mundschutze und Schutzbrillen aufhatten und in ihren Lumpen am

Straßenrand saßen wie verarmte Luftschiffer. Ihre Schubkarren mit Ramsch beladen. Leiter- oder Handwagen ziehend. Die Augen hell in ihren Schädeln. Glaubenslose, leere Hülsen von Menschen, die die Landstraßen entlangwankten wie Migranten in einem Fieberland. Die Hinfälligkeit von allem und jedem endlich zutage getreten. Alte, quälende Streitfragen in Nichts und Nacht aufgelöst. Mit dem letzten Exemplar von etwas geht die ganze Gattung zugrunde. Macht das Licht aus und ist weg. Man brauchte sich nur umzuschauen. Nie mehr ist eine lange Zeit. Aber der Junge wusste, was er wusste. Dass nie mehr im Handumdrehen passiert war.

Im grauen Licht des Spätnachmittags saß er am grauen Fenster eines verlassenen Hauses und las die alte Zeitungen, während der Junge schlief. Die merkwürdigen Nachrichten. Die wunderlichen Anliegen. Um acht schließt sich die Schlüsselblume. Er betrachtete den schlafenden Jungen. Bringst du es fertig? Wenn es so weit ist? Bringst du es wirklich fertig?

Sie hockten auf der Straße und aßen kalten Reis und kalte Bohnen, die sie schon vor Tagen gekocht hatten. Die schon zu gären begannen. Kein Platz, wo man ein Feuer machen konnte, das nicht zu sehen sein würde. Im Dunkeln und in der Kälte schliefen sie aneinandergeschmiegt zwischen den stinkenden Steppdecken. Er hielt den Jungen eng an sich gedrückt. So dünn. Mein Herz, sagte er. Mein Herz. Aber er wusste, dass es, auch wenn er ein guter Vater war, trotzdem durchaus so sein könnte, wie sie gesagt hatte. Dass der Junge das Einzige war, was zwischen ihm und dem Tod stand.

Spät im Jahr. Er wusste kaum, welcher Monat. Er meinte, dass sie genug Nahrungsmittel hatten, um über die Berge zu kommen, aber man konnte es unmöglich genau wissen. Der Pass auf der Wasserscheide lag über fünfzehnhundert Meter hoch, und es würde sehr kalt sein. Er sagte, alles hänge davon ab, dass sie die Küste erreichten, doch wenn er nachts erwachte, wusste er, dass das alles leeres Gewäsch war, ohne Substanz. Es war gut möglich, dass sie in den Bergen umkamen, und das wäre es dann.

Sie passierten die Ruinen eines Urlaubsortes und nahmen die Straße Richtung Süden. Entlang den Hängen meilenweit verbrannte Wälder und eher Schnee, als er gedacht hätte. Auf der Straße keine Spuren, nirgendwo etwas Lebendiges. Die feuergeschwärzten Felsblöcke auf den karg bewaldeten Hängen wie Konturen von Bären. Er stand auf einer Steinbrücke, wo das Wasser in einen Gumpen schlammte und einen trägen, schaumig grauen Wirbel bildete. Wo er einmal Forellen beobachtet hatte, wie sie sich in der Strömung wiegten und ihre vollkommenen Schatten auf den Steinen darunter verfolgten. Sie gingen weiter, der Junge stapfte hinter ihm her. Gegen den Wagen gestemmt, ging es in engen Kehren langsam bergauf. Hoch in den Bergen brannten noch Feuer, und nachts konnten sie deren tieforangerotes Licht im Rußgestöber sehen. Es wurde kälter, aber sie unterhielten nachts immer ein Feuer, das sie einfach brennen ließen, wenn sie morgens wieder aufbrachen. Er hatte ihre Füße in Sackleinen eingewickelt, das er mit Kordel festgebunden hatte, und bis jetzt lagen nur ein paar Zentimeter Schnee, doch er wusste, sie würden den Wagen zurücklassen müssen, wenn der Schnee viel tiefer wurde. Schon jetzt war das Gehen beschwerlich, und er blieb oft stehen, um auszuruhen. Schleppte sich, dem Kind den Rücken zukehrend, zum Straßenrand, wo er vornübergebeugt, die Hände auf die Knie gestützt, stehen blieb und hustete. Er richtete sich auf, seine Augen tränten. Auf dem grauen Schnee ein feiner Blutschleier.

Sie kampierten an einem Felsblock, und er baute aus Stöcken und der Plane einen Unterstand. Er brachte ein Feuer in Gang, und sie machten sich daran, einen großen Haufen Strauchwerk für die ganze Nacht zusammenzusuchen. Dann saßen sie, in ihre Decken gehüllt, auf einer im Schnee aufgehäuften Matte aus toten Tannenzweigen, schauten ins Feuer und tranken den letzten Rest des Kakaos, den sie vor Wochen ergattert hatten. Es schneite wieder, langsam aus der Schwärze herabrieselnde Flocken. Er döste in der wunderbaren Wärme. Der Schatten des Jungen strich über ihn. Mit einem Bündel Holz in den Armen. Er sah ihm zu, wie er die Flammen anfachte. Gottes Feuerdrache. Funken stoben auf und erstarben im sternenlosen Dunkel. Nicht alle letzten Worte sind wahr, und diese Wohltat ist, obwohl ihres Bodens beraubt, nicht weniger real.

Als er gegen Morgen erwachte, war das Feuer bis auf die Glut niedergebrannt, und er ging auf die Straße hinaus. Alles war erleuchtet. Als kehrte die verlorengegangene Sonne endlich wieder. Der Schnee orangerot und zuckend. Ein Waldbrand, der vor dem bedeckten Himmel wie Nordlichter lohte und schimmerte, schob sich die wie Zunder brennenden Bergkämme über ihnen entlang. So kalt es auch war, blieb er doch lange Zeit dort stehen. Die Farbe rührte an etwas lang Vergessenem in ihm. Mach eine Liste. Sprich eine Litanei. Vergiss nicht.

Es war kälter. Nichts regte sich in dieser Hochwelt. Über der Straße hing ein kräftiger Geruch nach Holzrauch. Er schob den Wagen weiter durch den Schnee. Jeden Tag ein paar Kilometer. Er hatte keine Vorstellung, wie weit es noch bis zum Gipfel sein könnte. Sie aßen sparsam und hatten ständig Hunger. Er stand da und blickte auf das Land hinaus. Weit unten ein Fluss. Wie weit waren sie gekommen?

In seinem Traum war sie krank, und er pflegte sie. Der Traum weckte den Anschein von Aufopferung, aber er glaubte etwas anderes. Er hatte sich nicht um sie gekümmert, und sie starb irgendwo allein im Dunkeln, und es gab weder einen anderen Traum noch einen anderen Wachzustand noch eine andere Geschichte zu erzählen.

Auf dieser Straße gibt es keine Männer, aus denen Gott spricht. Sie sind fort, ich bin allein, und sie haben die Welt mit sich genommen. Frage: Worin unterscheidet sich, was niemals sein wird, von dem, was niemals war?

Dunkel des unsichtbaren Mondes. Die Nächte inzwischen nur geringfügig weniger finster. Am Tag umkreist die verbannte Sonne die Erde wie eine trauernde Mutter mit einer Lampe.

In der Morgendämmerung auf dem Bürgersteig sitzende Menschen, halbe Brandopfer, in ihren Kleidern qualmend. Wie gescheiterte Selbstmörder einer Sekte. Andere kamen ihnen zu Hilfe. Binnen eines Jahres sah man Feuer auf den Bergkämmen und hörte irren Gesang. Die Schreie der Ermordeten. Bei Tag die entlang der Straße auf Pfähle gespießten Toten. Was hatten sie getan? Es könnte durchaus sein, dachte er, dass es in der Geschichte der Welt mehr Strafe als Verbrechen gab, aber das tröstete ihn nur wenig.

Die Luft wurde dünn, und er dachte, dass der Gipfel nicht mehr weit sein konnte. Morgen vielleicht. Morgen kam und ging. Es schneite nicht mehr, aber der Schnee auf der Straße war fünfzehn Zentimeter tief, und den Wagen die Steigungen hinaufzuschieben war anstrengende Arbeit. Er dachte, sie würden ihn stehenlassen müssen. Wie viel konnten sie tragen? Er stand da und schaute hinaus auf die öden Hänge. Die Asche fiel auf den Schnee, bis er fast völlig schwarz war.

Bei jeder Kurve sah es so aus, als läge der Pass unmittelbar vor ihnen, und dann blieb er eines Abends stehen, blickte sich um und erkannte es. Er öffnete den Kragen seines Parkas, zog sich die Kapuze vom Kopf und lauschte. Der Wind in den toten schwarzen Tannenbeständen. Der leere Parkplatz am Aussichtspunkt. Der Junge stand neben ihm. Wo er selbst einmal vor langer Zeit im Winter mit seinem Vater gestanden hatte. Was ist denn, Papa?, fragte der Junge.

Das ist der Sattel. Das ist es.

Am Morgen marschierten sie weiter. Es war sehr kalt. Gegen Nachmittag begann es wieder zu schneien, und sie schlugen früh ihr Lager auf und sahen, unter den Wetterschutz der Plane gekauert, zu, wie der Schnee ins Feuer fiel. Am Morgen lagen mehrere Zentimeter Neuschnee auf dem Boden, aber es hatte zu schneien aufgehört, und es war so still, dass sie beinahe ihren Herzschlag hören konnten. Er häufte Holz auf die Glut, fachte das Feuer an und stapfte hinaus durch die Verwehungen, um den Wagen auszugraben. Er durchwühlte die Dosen und ging zurück, und am Feuer sitzend aßen sie ihre letzten Kräcker und eine Dose Würstchen. In einem Fach seines Rucksacks hatte er ein letztes halbes Päckchen Kakao gefunden, und er rührte für den Jungen welchen an, goss dann heißes Wasser in seinen Becher und blies auf den Rand.

Du hast versprochen, dass du das nicht tust, sagte der Junge.

Was denn?

Du weißt genau, was, Papa.

Er goss das heiße Wasser in den Topf zurück, nahm den Becher des Jungen, goss etwas Kakao in seinen eigenen Becher und reichte dem Jungen dessen Becher zurück.

Ich muss dich ständig im Auge behalten, sagte der Junge.

Ich weiß.

Wenn man kleine Versprechen bricht, bricht man auch große. Das hast du selber gesagt.

Ich weiß. Aber ich tu's nicht.

Den ganzen Tag schleppten sie sich den Südhang der Wasserscheide hinunter. In den tieferen Verwehungen ließ sich der Wagen überhaupt nicht mehr schieben, und er musste ihn mit einer Hand hinter sich herziehen, während er einen Weg bahnte. Überall außer in den Bergen hätten sie etwas finden können, was sich als Schlitten hätte verwenden lassen. Ein altes Metallschild oder eine Dachblechplatte. Ihre Fußlappen waren durchweicht, und sie waren nass und froren den ganzen Tag. Er stützte sich auf den Wagen, um wieder zu Atem zu kommen, während der Junge wartete. Irgendwo auf dem Berg ertönte ein scharfes Krachen. Dann noch eines. Das war bloß ein umstürzender Baum, sagte er. Keine Sorge. Der Blick des Jungen war auf die toten Bäume am Straßenrand gerichtet. Keine Sorge, sagte der Mann. Früher oder später stürzen alle Bäume der Welt um. Aber nicht auf uns.

Woher weißt du das?

Ich weiß es eben.

Sie stießen immer noch auf quer über der Straße liegende Bäume, die sie zwangen, den Wagen auszuladen, alles über die Stämme zu tragen und auf der anderen Seite wieder einzupacken. Der Junge fand Spielzeug, das er längst vergessen gehabt hatte. Er ließ einen gelben Lastwagen draußen, der oben auf der Plane stand, während sie weitergingen.

Sie kampierten auf einem terrassenförmigen Stück Land jenseits eines zugefrorenen Baches an der Straße. Der Wind hatte die Asche vom Eis geweht, und das Eis war schwarz, sodass der Bach aussah wie ein sich durch den Wald windender Basaltpfad. Auf der Nordseite des Hanges, wo es nicht ganz so feucht war, sammelten sie Feuerholz, rissen ganze Bäume um und schleppten sie ins Lager. Sie machten Feuer, breiteten die Plane aus, hängten ihre feuchten Kleider auf Stangen, wo sie vor sich hin dampften und stanken, und der Mann drückte sich die Füße des Jungen an den Bauch, um sie warm zu halten, während sie, nackt in ihre Decken gehüllt, dasaßen.

In der Nacht wachte er wimmernd auf, und der Mann nahm ihn in die Arme. Pst, sagte er. Pst. Schon gut.

Ich habe einen schlimmen Traum gehabt.

Ich weiß.

Soll ich ihn dir erzählen?

Wenn du möchtest.

Ich hatte einen Pinguin, den konnte man aufziehen, und dann ist er losgewatschelt und hat mit den Flügeln geschlagen. Und wir waren in dem Haus, in dem wir gewohnt haben, und er ist um die Ecke gekommen, obwohl ihn niemand aufgezogen hatte, und das war richtig gruselig.

Okay.

Im Traum war es noch viel gruseliger.

Ich weiß. Träume können richtig gruselig sein.

Warum habe ich so einen gruseligen Traum gehabt?

Ich weiß nicht. Aber jetzt ist es wieder gut. Ich lege noch ein bisschen Holz aufs Feuer. Schlaf weiter.

Der Junge gab keine Antwort. Dann sagte er: Der Schlüssel hat sich nicht gedreht.

Aus dem Schnee herauszukommen dauerte weitere vier Tage, und selbst dann hielt er sich vereinzelt in bestimmten Biegungen der Straße, die auch weiter unten noch schwarz und nass war von Schmelzwasser aus dem Hochland. Sie kamen am Rand einer tiefen Schlucht heraus, durch die sich weit unten im Dunkeln ein Fluss zog. Sie standen da und lauschten.

Hohe Felsblöcke auf der anderen Seite des Canyons, an dessen Abbruchkante sich dünne schwarze Bäume klammerten. Das Geräusch des Flusses verklang. Dann kam es wieder. Von dem Land unten wehte ein kalter Wind herauf. Sie brauchten den ganzen Tag, um den Fluss zu erreichen.

Sie ließen den Wagen auf einem Parkplatz stehen und marschierten durch den Wald. Vom Fluss kam ein leises Tosen. Es war ein Wasserfall: Von einem Felssims stürzte sich das Gewässer durch einen grauen Dunstschleier fast dreißig Meter in den Gumpen darunter. Sie konnten das Wasser riechen, und sie spürten die davon ausgehende Kälte. Ein Streifen nasser Flusskies. Er stand da und beobachtete den Jungen. Wow, sagte der Junge. Er konnte die Augen nicht davon losreißen.

Er hockte sich hin, schaufelte eine Handvoll Steine auf, roch daran und ließ sie rasselnd fallen. Rund geschliffen und glatt wie Marmor oder Schwämme aus Stein, geädert und gestreift. Schwarze Scheibchen und geschliffene Quarzstücke, von der Flussgischt ganz blank. Der Junge trat ans Ufer, hockte sich nieder und schöpfte das dunkle Wasser auf.

Das Wasser stürzte fast genau in die Mitte des Gumpens. Etwas trübe Graues kreiselte. Sie standen nebeneinander, und der Lärm zwang sie zum Rufen.

Ist es kalt?

Ja. Eiskalt.

Willst du reingehen?

Ich weiß nicht.

Klar willst du.

Meinst du, das geht?

Na los.

Er zog den Reißverschluss seines Parkas auf und ließ das Kleidungsstück auf den Boden fallen, der Junge stand auf, sie zogen sich aus und wateten ins Wasser. Geisterhaft bleich und zitternd. Der Junge so dünn, dass es ihm das Herz brach. Er tauchte kopfüber ein, kam nach Luft schnappend wieder hoch, stand auf und schlug mit den Armen.

Kann ich da noch stehen?, rief der Junge.

Ja. Komm schon.

Er drehte sich um, schwamm bis zum Wasserfall und ließ das Wasser auf sich herunterprasseln. Der Junge stand bis zur Taille im Gumpen, hatte die Arme um sich geschlagen und hüpfte auf und ab. Der Mann schwamm zurück und holte ihn. Er hielt ihn in der Schwebe, und der Junge keuchte und hieb auf das Wasser ein. Das machst du gut, sagte der Mann. Das machst du gut.

Sie zogen sich zitternd an und stiegen dann den Pfad zum Oberlauf des Flusses hinauf. Sie gingen die Felsen entlang bis zu der Stelle, wo der Fluss im leeren Raum zu enden schien, und er hielt den Jungen fest, während er sich auf das äußerste Steinsims vorwagte. Der Fluss strömte saugend über den Rand und stürzte senkrecht in den Gumpen. Der ganze Fluss. Der Junge klammerte sich an den Arm des Mannes.

Es ist richtig tief, sagte er.

Ziemlich tief.

Würde man sterben, wenn man da runterfällt?

Man würde sich verletzen. Es geht ganz schön weit runter.

Es ist richtig gruselig.

Sie marschierten durch den Wald. Das Licht schwand. Zwischen riesigen toten Bäumen hindurch folgten sie den Niederungen entlang dem Oberlauf. Ein üppiger Südstaatenwald, in dem es einmal Maiapfel und Wintergrün gegeben hatte. Ginseng. Die nackten, toten Zweige des Rhododendrons verdreht, knorrig und schwarz. Er blieb stehen. Im Mulch und in der Asche war etwas. Er bückte sich und legte es frei. Eine kleine Kolonie, verschrumpelt, vertrocknet und runzelig. Er pflückte einen, hielt ihn hoch und schnupperte daran. Er biss ein Stück vom Rand ab und kaute.

Was ist das, Papa?

Morcheln. Das sind Morcheln.

Was sind Morcheln?

Eine Pilzart.

Kann man die essen?

Ja. Probier mal.

Schmecken die?

Probier mal.

Der Junge roch an dem Pilz, biss hinein und kaute. Er sah seinen Vater an. Schmeckt ziemlich gut, sagte er.

Sie zogen die Morcheln aus dem Boden, kleine, fremdartig wirkende Dinger, die er in der Parkakapuze des Jungen sammelte. Sie marschierten zur Straße zurück und von dort aus zu der Stelle, wo sie den Wagen zurückgelassen hatten, dann schlugen sie an dem Gumpen beim Wasserfall ihr Lager auf, spülten Erde und Asche von den Morcheln und legten sie zum Einweichen in einen Topf Wasser. Bis das Feuer brannte, war es dunkel, und zum Essen schnitt er auf einem Baumstamm eine Handvoll Pilze in Scheiben, gab sie zusammen mit der Speckschwarte aus einer Dose Bohnen in eine Bratpfanne und setzte sie zum Köcheln in die Glut. Der Junge sah ihm zu. Das ist ein guter Platz, Papa, sagte er.

Sie aßen die kleinen Pilze zusammen mit den Bohnen und tranken dazu Tee. Zum Nachtisch gab es Birnen aus der Dose. Er schob die Glut des Feuers gegen den Felssaum, an dem er es entzündet hatte, spannte die Plane hinter ihnen aus, damit sie die Hitze reflektierte, und dann saßen sie in ihrem Unterschlupf im Warmen, während er dem Jungen Geschichten erzählte. Alte Geschichten von Mut und Gerechtigkeit, wie er sie in Erinnerung hatte, bis der Junge zwischen seinen Decken eingeschlafen war; dann schürte er das Feuer, legte sich gewärmt und gesättigt nieder und lauschte dem leisen Tosen des Wasserfalls vor ihnen, in jenem dunklen, schütteren Wald.

Am Morgen marschierte er auf dem Flusspfad stromabwärts. Der Junge hatte recht: Es war ein guter Platz, und er wollte die Gegend auf Spuren anderer Besucher überprüfen. Er fand nichts. Er blieb an einer Stelle stehen, wo sich der Fluss im Bogen in einen Gumpen warf und Wirbel und Strudel bildete. Er ließ einen weißen Stein ins Wasser fallen, der so plötzlich verschwand, als wäre er verschluckt worden. Er hatte einmal an einem solchen Fluss gestanden und das Aufblinken von Forellen tief in einem Gumpen beobachtet, das in dem teefarbenen Wasser nur auszumachen war, wenn ihre Leiber beim Fressen zur Seite schnellten. Und tief im Dunkel die Sonne widerspiegelten, wie ein Aufblitzen von Messerklingen in einer Höhle.

Wir können nicht bleiben, sagte er. Es wird jeden Tag kälter. Und der Wasserfall ist ein Anziehungspunkt. Er war es für uns, und er wird es auch für andere sein. Wir wissen nicht, wer das sein wird, und wir können sie nicht kommen hören. Es ist gefährlich.

Einen Tag könnten wir noch bleiben.

Es ist gefährlich.

Vielleicht könnten wir ja eine andere Stelle am Fluss finden.

Wir müssen weiter. Wir müssen weiter in Richtung Süden.

Verläuft der Fluss in Richtung Süden?

Nein.

Kann ich ihn mal auf der Karte sehen?

Ja. Ich hole sie schnell.

Die zerfledderte Straßenkarte der Ölgesellschaft war einmal zusammengeklebt gewesen, doch nun bestand sie nur noch aus einzelnen Blättern, die an den Ecken mit Buntstift nummeriert waren, damit sie sich richtig zusammensetzen ließ. Er durchblätterte die schlaffen Seiten und legte diejenigen aneinander, die sich auf ihren Standort bezogen.

Da gehen wir über eine Brücke. Sieht aus, als wären es bis dahin noch ungefähr zwölf Kilometer. Das da ist der Fluss. Er fließt nach Osten. Wir folgen der Straße hier entlang dem Osthang der Berge. Das sind unsere Straßen, die schwarzen Linien auf der Karte. Die Staatsstraßen.

Warum heißen sie Staatsstraßen?

Weil sie früher den Staaten gehört haben. Dem, was früher Staaten hieß.

Aber Staaten gibt es jetzt nicht mehr?

Nein.

Was ist mit ihnen passiert?

Das weiß ich nicht genau. Das ist eine gute Frage.

Aber die Straßen gibt es noch.

Ja. Noch eine Zeit lang.

Wie lange?

Ich weiß nicht. Vielleicht noch eine ganze Zeit lang. Groß beansprucht werden sie ja nicht mehr, also werden sie es wohl noch eine Zeit lang tun.

Aber Autos und Lastwagen fahren keine mehr darauf.

Nein.

Okay.

Bist du so weit?

Der Junge nickte. Er wischte sich an seinem Ärmel die Nase und schulterte seinen kleinen Rucksack, der Mann verstaute die Kartenteile und stand auf, und der Junge folgte ihm durch das graue Pfahlwerk der Bäume auf die Straße hinaus.

Auf der Brücke, die unter ihnen in Sicht kam, hatte sich ein Sattelzug quergestellt und zwischen den verbogenen Geländern verkeilt. Es regnete wieder, und sie standen da, während der Regen leise auf die Plane pladderte. Spähten unter dem blauen Dämmer des Kunststoffs hervor.

Kommen wir außen rum?, fragte der Junge.

Ich glaube nicht. Aber wahrscheinlich drunter durch. Vielleicht müssen wir den Wagen ausladen.

Die Brücke querte den Fluss über einer Stromschnelle. Sie konnten das Tosen hören, als sie um die Kurve in der Straße bogen. Die Schlucht herab kam ein Windstoß, und sie zogen die Ecken der Plane um sich und schoben den Wagen auf die Brücke. Durch die Stahlkonstruktion hindurch konnten sie den Fluss sehen. Unterhalb der Stromschnelle befand sich eine auf Kalksteinpfeilern ruhende Eisenbahnbrücke. Die Steine der Pfeiler waren noch ein ganzes Stück über dem Fluss vom Hochwasser verfärbt, und in der Flussbiegung hatten sich große Wälle aus schwarzen Ästen, Buschwerk und Baumstämmen aufgestaut.

Der Lastzug stand schon seit Jahren da, die Reifen waren platt und unter den Felgen zusammengeschrumpelt. Die Vorderseite der Zugmaschine war gegen das Brückengeländer geknautscht, und der Auflieger hatte sich nach vorn von der Sattelkupplung geschoben und in die Rückseite der Fahrerkabine gequetscht. Der Auflieger war ausgeschert, hatte das Geländer auf der anderen Brückenseite durchbrochen und ragte mehrere Meter über die Schlucht. Er schob den Wagen unter den Auflieger, aber der Griff klemmte sich fest. Sie würden ihn seitlich darunter durchschieben müssen. Er ließ ihn, mit der Plane abgedeckt, im Regen stehen, sie schoben sich im Entengang unter den Auflieger, wo der Junge zusammengekauert im Trockenen zurückblieb, während er sich auf die Trittstufe stellte, das Wasser von der Scheibe wischte und in die Fahrerkabine spähte. Er stieg wieder hinunter, griff nach oben, öffnete die Tür, kletterte hinein und zog die Tür hinter sich zu. Er blickte sich um. Hinter den Sitzen eine hundehüttengroße Schlafnische. Auf dem Boden Papiere. Das Handschuhfach war offen, aber leer. Er kletterte nach hinten zwischen die Sitze. Auf der Koje lag eine nackte, feuchte Matratze vor einem kleinen Kühlschrank mit offenstehender Tür. Ein Klapptisch. Auf dem Boden alte Zeitschriften. Er durchstöberte die Sperrholzspinde unter dem Wagendach, aber sie waren leer. Unter der Koje befanden sich Schubladen, und er zog sie heraus und durchwühlte den Müll. Er kletterte wieder nach vorn, setzte sich auf den Fahrersitz und blickte durch das langsam die Scheibe hinabrinnende Wasser den Fluss entlang. Auf dem Metalldach das dünne Trommeln des Regens, und auf alles senkte sich langsam Dunkelheit.

In dieser Nacht schliefen sie im Lastwagen, und am Morgen hatte es zu regnen aufgehört, sie entluden den Wagen, schafften alles unter dem Auflieger hindurch auf die andere Seite und luden es wieder auf. Knapp dreißig Meter die Brücke entlang sahen sie die geschwärzten Überreste von Reifen, die dort verbrannt worden waren. Er betrachtete den Auflieger. Was meinst du, was ist da drin?, sagte er.

Ich weiß nicht.

Wir sind nicht die Ersten hier. Also wahrscheinlich nichts.

Wir kommen sowieso nicht rein.

Er legte das Ohr an die Seitenwand des Aufliegers und schlug mit der flachen Hand gegen das Blech. Es hört sich leer an, sagte er. Wahrscheinlich kommt man vom Dach aus rein. Sonst hätte schon längst jemand ein Loch in die Seitenwand geschnitten.

Womit denn?

Da hätte sich schon was gefunden.

Er zog seinen Parka aus, legte ihn auf den Wagen, stieg über den Stoßfänger der Zugmaschine auf die Motorhaube und kraxelte über die Windschutzscheibe auf das Dach der Fahrerkabine. Er stand auf, drehte sich um und schaute auf den Fluss hinab. Unter seinen Füßen nasses Metall. Er schaute zu dem Jungen hinab. Der Junge machte ein besorgtes Gesicht. Er drehte sich um, bekam die obere Kante des Aufliegers zu fassen und zog sich langsam hoch. Er schaffte es kaum, obwohl es inzwischen sehr viel weniger zu ziehen gab. Er schwang ein Bein über die Kante und ruhte in dieser Haltung einen Moment lang aus. Dann zog er sich vollends hoch, wälzte sich herum und setzte sich auf.

Bei etwa einem Drittel der Gesamtlänge des Daches befand sich ein Oberlicht, das er in geducktem Gang erreichte. Die Luke fehlte, und aus dem Inneren des Aufliegers roch es nach feuchtem Sperrholz und etwas Säuerlichem, das er mittlerweile kannte. In seiner Hüfttasche steckte eine Zeitschrift, er zog sie heraus, riss ein paar Seiten davon ab, zerknüllte sie, zückte sein Feuerzeug, zündete das Papier an und ließ es in die Dunkelheit fallen. Ein leises Sausen. Er wedelte den Rauch weg und blickte in den Auflieger hinunter. Das kleine Feuer, das auf dem Boden brannte, schien weit unten. Mit der Hand beschirmte er sich die Augen gegen das grelle Leuchten und konnte so fast bis ans hintere Ende des Laderaums sehen. Menschenleiber. In jederlei Haltung hingestreckt. In ihren verrotteten Kleidern vertrocknet und verschrumpelt. Das kleine, brennende Papierknäuel verglomm zu einem Flämmchen und zeigte, ehe es vollends erlosch, im letzten Schimmer einen kurzen Moment lang ein schwaches Muster wie die Form einer Blume, eine geschmolzene Rose. Dann war alles wieder dunkel.

In dieser Nacht kampierten sie im Wald auf einem Kamm, der einen Blick auf die breite, sich Richtung Süden erstreckende Piedmontebene bot. An einem Felsen entfachte er ein Kochfeuer, und sie aßen den Rest der Morcheln und eine Dose Spinat. Nachts brach in den Bergen über ihnen ein Unwetter aus, das krachend und brausend herabgefegt kam, und immer wieder riss das verschleierte Aufflammen der Blitze die ganz und gar graue Welt aus der Nacht. Der Junge klammerte sich an ihn. Alles zog weiter. Ein kurzes Geprassel von Hagel, dann langsamer, kalter Regen.

Als er wieder aufwachte, war es immer noch dunkel, aber es hatte aufgehört zu regnen. Draußen im Tal ein rauchiges Licht. Er stand auf und marschierte den Kamm entlang. Ein Flammenschleier, der sich meilenweit erstreckte. Er hockte sich hin und betrachtete ihn. Er konnte den Rauch riechen. Er befeuchtete sich den Finger und hielt ihn in den Wind. Als er aufstand und sich umdrehte, um zurückzugehen, war es unter der Plane, wo der Junge erwacht war, hell. So im Dunkeln gelegen, wirkte die fragile blaue Form wie der Standort irgendeines letzten Unternehmens am Rande der Welt. Wie etwas fast Unerklärliches. Was es auch war.

Den ganzen folgenden Tag marschierten sie durch den treibenden Holzrauchschleier. Im Luftzug stieg der Rauch wie Nebel vom Boden auf, und auf den Hängen brannten dünne schwarze Bäume wie Büschel heidnischer Kerzen. Spät am Tag kamen sie an eine Stelle, wo das Feuer die Straße überquert hatte. Der Asphalt war noch warm und wurde ein Stück weiter allmählich weich unter den Füßen. Der heiße schwarze Mastix sog an ihren Schuhen und dehnte sich bei jedem Schritt zu dünnen Bändern. Sie blieben stehen. Wir müssen warten, sagte er.

Sie gingen zurück und kampierten auf der Straße, und als sie am nächsten Tag weitergingen, war der Asphalt abgekühlt. Irgendwann stießen sie auf eine im Teer abgeformte Fußspur. Sie tauchte ganz plötzlich auf. Er ging in die Hocke und untersuchte sie. In der Nacht war jemand aus dem Wald gekommen und auf der weich gewordenen Straße weitermarschiert.

Wer ist das?, fragte der Junge.

Ich weiß nicht. Wer soll's schon sein?

Sie sahen ihn, wie er vor ihnen die Straße entlangschlurfte, dabei ein Bein nachzog und ab und zu mit hängenden Schultern unentschlossen stehen blieb, ehe er sich wieder in Marsch setzte.

Was sollen wir tun, Papa?

Gar nichts. Wir gehen ihm einfach nach und beobachten ihn.

Wir schauen erst mal, sagte der Junge.

Genau. Wir schauen erst mal.

Sie folgten ihm ein ganzes Stück, aber bei seinem Tempo verloren sie zu viel Zeit, und schließlich setzte er sich einfach auf die Straße und stand nicht wieder auf. Der Junge hielt sich an der Jacke seines Vaters fest. Keiner sagte etwas. Er sah ebenso verbrannt aus wie die Landschaft, seine Kleidung war versengt und schwarz. Eines seiner Augen war zugeschwollen, und sein Haar war nichts als eine nissige Aschenperücke auf seinem geschwärzten Schädel. Als sie ihn passierten, senkte er den Blick. Als hätte er etwas verbrochen. Seine Schuhe wurden von Draht zusammengehalten und waren teerverkrustet, und er saß stumm da, in seinen Lumpen vornübergebeugt.

Der Junge blickte sich immer wieder um. Papa?, flüsterte er. Was hat der Mann?

Er ist vom Blitz getroffen worden.

Können wir ihm nicht helfen? Papa?

Nein. Wir können ihm nicht helfen.

Der Junge zupfte immer wieder an seiner Jacke. Papa?, sagte er.

Hör auf.

Können wir ihm nicht helfen, Papa?

Nein. Wir können ihm nicht helfen. Man kann nichts für ihn tun.

Sie gingen weiter. Der Junge weinte. Er sah sich immer wieder um. Am Fuß des Hügels angelangt, blieb der Mann stehen, sah den Jungen an und blickte dann nach hinten die Straße entlang. Der Verbrannte war vornübergefallen, und auf die Entfernung war nicht einmal mehr zu erkennen, worum es sich handelte. Es tut mir leid, sagte er. Aber wir können ihm nichts geben. Wir haben keine Möglichkeit, ihm zu helfen. Was ihm passiert ist, tut mir leid, aber wir können nichts machen. Das weißt du doch, oder? Der Junge hatte den Blick gesenkt. Er nickte. Dann gingen sie weiter, und er sah sich nicht wieder um.

Am Abend ein trübes, schwefliges Licht von den Bränden. Das stehende Wasser in den Gräben am Straßenrand schwarz vom Abfluss. Die Berge verhüllt. Auf einer Betonbrücke überquerten sie einen Fluss, in dessen Strömung langsam Schlamm- und Ascheschlieren dahintrieben. Verkohlte Holzstücke. Am Ende blieben sie stehen, machten kehrt und kampierten unter der Brücke.

Er hatte seine Brieftasche bei sich getragen, bis sie ein winkelförmiges Loch in seine Hose gewetzt hatte. Dann hatte er sich eines Tages an den Straßenrand gesetzt, sie gezückt und den Inhalt gemustert. Etwas Geld, Kreditkarten. Sein Führerschein. Ein Foto von seiner Frau. Er legte alles auf dem Asphalt aus. Wie Spielkarten. Er warf das schweißdunkle Stück Leder in den Wald und behielt das Foto in der Hand. Dann legte er es ebenfalls auf die Straße, stand auf, und sie gingen weiter.

Am Morgen blickte er im Liegen zu den Lehmnestern auf, die Schwalben in den Winkeln unter der Brücke gebaut hatten. Er sah den Jungen an, doch dieser hatte sich abgewandt und starrte auf den Fluss hinaus.

Wir hätten nichts tun können.

Der Junge gab keine Antwort.

Er wird sterben. Wir können das, was wir haben, nicht mit ihm teilen, sonst sterben wir auch.

Ich weiß.

Wann redest du denn nun wieder mit mir?

Jetzt rede ich doch.

Bist du sicher?

Ja.

Okay.

Okay.

Sie standen am anderen Ufer eines Flusses und riefen ihm etwas zu. Zerlumpte Götter, die in ihren Fetzen über die Einöde schlurften. Über den ausgetrockneten Boden eines Mineralmeers wanderten, der rissig und zersprungen war wie ein heruntergefallener Teller. Im eingedickten Sand Pfade von wildem Feuer. Die Gestalten verschwanden in der Ferne. Er wachte auf und lag im Dunkeln.

Die Uhren blieben um 1 Uhr 17 stehen. Eine lange Lichtklinge, gefolgt von einer Reihe leiser Erschütterungen. Er stand auf und trat ans Fenster. Was ist das?, fragte sie. Er gab keine Antwort. Er ging ins Bad und betätigte den Lichtschalter, aber der Strom war bereits ausgefallen. Im Fensterglas ein stumpfer, rosiger Schimmer. Er ließ sich auf ein Knie nieder, drückte den Hebel, der den Abfluss der Badewanne verschloss, und drehte beide Hähne bis zum Anschlag auf. Sie stand im Nachthemd in der Tür, klammerte sich am Türpfosten fest, hielt sich mit einer Hand den Bauch. Was ist das?, fragte sie. Was ist los?

Ich weiß nicht.

Warum nimmst du ein Bad?

Ich nehme kein Bad.

Einmal in diesen ersten Tagen war er in einem öden Wald erwacht und hatte im Liegen Schwärmen von Zugvögeln in der bitteren Dunkelheit über ihm gelauscht. Ihr gedämpftes Kreischen in mehreren Kilometern Höhe, wo sie die Erde ebenso sinnlos umkreisten wie Insekten, die den Rand einer Schüssel entlangwimmeln. Er wünschte ihnen gute Reise, bis sie fort waren. Er hörte nie wieder welche.

Er hatte ein Spiel Karten, das er in einer Schreibtischschublade in einem Haus gefunden hatte. Die Karten waren speckig und abgegriffen, und die Kreuz-Zwei fehlte, aber trotzdem spielten sie manchmal, in ihre Decken gehüllt, im Licht des Feuers. Er versuchte, sich an die Regeln von Kinderspielen zu erinnern. Old Maid. Irgendeine Version von Whist. Er war sich sicher, dass er sie größtenteils falsch in Erinnerung hatte, und er erfand neue Spiele und gab ihnen erfundene Namen. Verrückter Schwingel oder Katzenkotze. Manchmal stellte ihm der Junge Fragen nach der Welt, die für ihn nicht einmal eine Erinnerung war. Er dachte angestrengt darüber nach, wie er antworten sollte. Es gibt keine Vergangenheit. Was hättest du denn gerne? Aber er hörte auf, Dinge zu erfinden, weil auch das Erfundene nicht stimmte und sich beim Erzählen sein Gewissen regte. Der Junge hatte seine eigenen Phantasien. Wie es im Süden sein würde. Andere Kinder. Er versuchte ihn zu bremsen, aber nur halbherzig. Wie auch anders?

Keine Listen von Dingen, die zu erledigen waren. Der Tag nicht über sich selbst hinausweisend. Die Stunde. Es gibt kein Später. Das ist das Später. Alles Anmutige und Schöne, das einem am Herzen liegt, hat einen gemeinsamen Ursprung im Schmerz. Wird aus Trauer und Asche geboren. So, flüsterte er dem schlafenden Jungen zu. Ich habe dich.

Er dachte an das Foto auf der Straße und dass er irgendwie hätte dafür sorgen müssen, dass sie bei ihnen blieb, aber er wusste nicht, wie. Er erwachte hustend und entfernte sich ein Stück, um das Kind nicht zu wecken. Folgte, in seine Decke gehüllt, im Dunkeln einer Steinmauer und kniete sich wie ein Büßer in die Asche. Er hustete, bis er das Blut schmecken konnte, und sagte laut ihren Namen. Er dachte, er habe ihn vielleicht im Schlaf gesagt. Als er zurückkam, war der Junge wach. Tut mir leid, sagte er.

Schon gut.

Schlaf weiter.

Ich wünschte, ich wäre bei meiner Mom.

Er gab keine Antwort. Er setzte sich neben die kleine, in Fell- und Wolldecken gehüllte Gestalt. Nach einer Weile sagte er: Du meinst, du wünschst dir, du wärst tot.

Ja.

Das darfst du nicht sagen.

Aber es ist so.

Sag das nicht. So etwas Schlimmes sagt man nicht.

Ich kann nicht anders.

Ich weiß. Aber du musst.

Und wie soll das gehen?

Ich weiß nicht.

Wir sind Überlebende, sagte er ihr über die Flamme der Lampe hinweg.

Überlebende?, gab sie zurück.

Ja.

Um Himmels willen, was redest du denn da? Wir sind keine Überlebenden. Wir sind die wandelnden Toten in einem Horrorfilm.

Ich bitte dich.

Das ist mir egal. Es ist mir egal, wenn du heulst. Das lässt mich völlig kalt.

Bitte.

Hör auf.

Ich bitte dich. Ich tue alles.

Was denn zum Beispiel? Ich hätte das schon längst tun sollen. Als noch drei Kugeln in dem Revolver waren anstatt zwei. Das war dumm von mir. Wir haben das alles zigmal durchgekaut. Ich habe mich nicht in diese Lage gebracht. Ich bin in diese Lage gebracht worden. Und jetzt habe ich genug davon. Ich habe mir sogar überlegt, es dir gar nicht zu sagen. Das wäre wahrscheinlich das Beste gewesen. Du hast zwei Kugeln, und was weiter? Du kannst uns nicht beschützen. Du sagst, du würdest für uns sterben, aber wozu soll das gut sein? Wenn du nicht wärst, würde ich ihn mitnehmen. Das weißt du. Es ist das einzig Richtige.

Du redest irre.

Nein, ich spreche die Wahrheit. Früher oder später werden sie uns kriegen, und dann werden sie uns umbringen. Sie werden mich vergewaltigen. Sie werden ihn vergewaltigen. Sie werden uns vergewaltigen und umbringen und fressen, und du willst das nicht wahrhaben. Du wartest lieber, bis es passiert. Aber ich kann das nicht. Ich kann das nicht. Sie saß da und rauchte ein schlankes Stück getrockneter Weinrebe, als handelte es sich um einen teuren Stumpen. Hielt es mit einer gewissen Eleganz, die andere Hand auf den angezogenen Knien. Über die kleine Flamme hinweg sah sie ihn an. Früher haben wir manchmal über den Tod geredet. Das tun wir jetzt nicht mehr. Warum wohl?

Ich weiß nicht.

Weil er da ist. Es gibt nichts mehr, worüber man reden könnte.

Ich würde dich nicht verlassen.

Das ist mir egal. Es ist sinnlos. Du kannst dir mich als treulose Schlampe vorstellen, wenn du magst. Ich habe mir einen neuen Liebhaber genommen. Er kann mir etwas geben, was du mir nicht geben kannst.

Der Tod ist kein Liebhaber.

O doch, das ist er.

Bitte tu das nicht.

Es tut mir leid.

Ich schaffe das nicht allein.

Dann lass es. Ich kann dir nicht helfen. Es heißt, Frauen träumen von Gefahren für ihre Schützlinge und Männer von Gefahren für sie selbst. Aber ich träume überhaupt nicht. Du sagst, du schaffst es nicht? Dann lass es. Das ist alles. Denn ich habe mein Hurenherz gründlich satt, und das schon lange. Du redest davon, Stellung zu beziehen, aber es gibt keine Stellung, die man beziehen könnte. In der Nacht, als er geboren wurde, hat es mir das Herz aus dem Leib gerissen, also verlange jetzt keinen Kummer von mir. Ich empfinde keinen. Vielleicht kannst du es ja auch gut. Ich bezweifle es, aber wer weiß. Aber eines kann ich dir sagen: Allein wirst du nicht überleben. Das weiß ich, weil ich allein nie so weit gekommen wäre. Ein Mensch, der niemanden hat, wäre gut beraten, sich irgendeinen passablen Geist zusammenzuschustern. Ihm Leben einzuhauchen und ihn mit Worten von Liebe bei der Stange zu halten. Ihm jede Phantomkrume anzubieten und ihn mit dem eigenen Körper zu beschützen. Was mich angeht, hoffe ich nur auf das ewige Nichts, und das von ganzem Herzen.

Er gab keine Antwort.

Dir fällt kein Argument ein, weil es keines gibt.

Wirst du dich von ihm verabschieden?

Nein, das werde ich nicht.

Warte doch noch bis morgen. Bitte.

Ich muss gehen.

Sie war bereits aufgestanden.

Um der Liebe Christi willen, Frau. Was soll ich ihm denn sagen?

Ich kann dir nicht helfen.

Wo willst du denn hin? Du kannst doch gar nichts sehen.

Das muss ich auch nicht.

Er stand auf. Ich bitte dich, sagte er.

Nein. Ich will nicht. Ich kann nicht.

Sie war fort, und die Kälte, die sie hinterließ, war ihr letztes Geschenk. Sie würde es mit einem Obsidiansplitter tun. Er hatte es ihr selbst beigebracht. Schärfer als Stahl. Die Schneide nur ein Atom dick. Und sie hatte recht. Es gab kein Argument. Die hundert Nächte, in denen sie wach geblieben waren und mit der Ernsthaftigkeit von Philosophen, die an eine Irrenhauswand gekettet waren, das Für und Wider der Selbstvernichtung erörtert hatten. Am Morgen blieb der Junge zunächst stumm, und als sie zusammengepackt hatten und abmarschbereit waren, drehte er sich um, blickte auf ihren Lagerplatz zurück und sagte: Sie ist weg, stimmt's? Und er sagte: Ja, sie ist weg.

Immer so überlegt, auch von den seltsamsten Ereignissen kaum zu überraschen. Ein Geschöpf, perfekt darauf hinentwickelt, seinen eigenen Untergang zu erleben. Sie saßen um Mitternacht im Bademantel am Fenster, aßen bei Kerzenlicht und sahen zu, wie ferne Städte brannten. Ein paar Nächte später kam sie beim Licht einer Trockenzellenlampe in ihrem Bett nieder. Handschuhe, die zum Geschirrspülen gedacht waren. Das kaum zu fassende Erscheinen der kleinen Schädelkrone. Von Blut und glattem schwarzem Haar gemasert. Das stinkende Kindspech. Ihre Schreie ließen ihn gleichgültig. Vor dem Fenster nur die zunehmende Kälte, die Brände am Horizont. Er hielt den mageren roten Körper hoch, der so wund und nackt war, schnitt mit einer Küchenschere die Nabelschnur durch und hüllte seinen Sohn in ein Handtuch.

Hast du Freunde gehabt?

Ja.

Viele?

Ja.

Erinnerst du dich noch an sie?

Ja. Ich erinnere mich noch an sie.

Was ist mit ihnen passiert?

Sie sind gestorben.

Alle?

Ja. Alle.

Vermisst du sie?

Ja. Ich vermisse sie.

Wohin gehen wir?

Wir gehen nach Süden.

Okay.

Sie waren den ganzen Tag auf der langen schwarzen Straße und machten am Nachmittag halt, um sparsam von ihren kärglichen Vorräten zu essen. Der Junge nahm seinen Spielzeuglastwagen aus dem Rucksack und zog mit einem Stock Straßen in die Asche. Der Lastwagen gondelte langsam dahin. Der Junge machte Motorengeräusche. Der Tag mutete beinahe warm an, und sie schliefen im Laub, ihren Rucksack unter dem Kopf.

Irgendetwas weckte ihn. Er drehte sich auf die Seite und lauschte. Den Revolver in der Hand, hob er langsam den Kopf. Er schaute auf den Jungen hinab, und als er wieder zur Straße blickte, kamen die Ersten schon in Sicht. Mein Gott, wisperte er. Er schüttelte den Jungen, ohne den Blick von der Straße zu nehmen. Die von Kapuzen verhüllten Köpfe hin- und herdrehend, kamen sie durch die Asche geschlurft. Einige trugen Gasmasken. Einer steckte in einem Schutzanzug. Fleckig und verdreckt. Kamen mit Knüppeln in den Händen, mit Eisenrohrstücken angetrottet. Hustend. Dann hörte er auf der Straße hinter ihnen ein Geräusch wie von einem Lastwagen mit Dieselmotor. Schnell, flüsterte er. Schnell. Er steckte sich den Revolver in den Gürtel, packte den Jungen an der Hand, zerrte den Wagen zwischen den Bäumen hindurch und kippte ihn an einer Stelle um, wo er nicht so ohne weiteres zu sehen sein würde. Der Junge war vor Angst wie erstarrt. Er zog ihn an sich. Keine Sorge. Wir müssen weglaufen. Schau nicht zurück. Los.

Er warf sich ihre Rucksäcke über die Schulter, und sie brachen durch das zerkrümelnde Farngestrüpp. Der Junge hatte schreckliche Angst. Lauf, flüsterte er. Lauf. Er blickte zurück. Der Lastwagen war rumpelnd in Sicht gekommen. Auf der Ladefläche standen Männer und hielten Ausschau. Der Junge stürzte, und er zog ihn hoch. Keine Angst, sagte er. Los, weiter.

Zwischen den Bäumen hindurch konnte er eine Lücke sehen, die er für einen Graben oder eine Schneise hielt, und durch das Unkraut gelangten sie auf eine alte Fahrbahn. Unter den Ascheverwehungen waren gesprungene Makadamplatten erkennbar. Er zog den Jungen zu Boden, und sie duckten sich, nach Atem ringend, hinter die Böschung und lauschten. Draußen auf der Straße konnten sie den Dieselmotor hören, der mit Gott weiß was lief. Als er sich aufrichtete, um besser zu sehen, konnte er gerade noch den oberen Teil des Lastwagens erkennen, der sich die Straße entlangbewegte. Auf der Pritsche standen Männer, einige davon mit einem Gewehr in der Hand. Der Lastwagen fuhr weiter, schwarzer Dieselqualm zog in den Wald. Der Motor klang unrund. Hatte Fehlzündungen und stotterte. Dann ging er aus.

Er sank zu Boden und legte sich die Hand auf den Kopf. O Gott, sagte er. Sie hörten, wie das Ding ratternd und klopfend abstarb. Dann bloß noch Stille. Er hatte den Revolver in der Hand, konnte sich nicht einmal mehr erinnern, ihn aus dem Gürtel gezogen zu haben. Sie hörten die Männer reden. Hörten, wie sie die Motorhaubenverriegelung lösten und die Motorhaube anhoben. Er hatte den Arm um den Jungen gelegt. Pst, sagte er. Pst. Nach einer Weile hörten sie den Lastwagen anrollen. Rumpeln und ächzen wie ein Schiff. Wahrscheinlich konnten sie ihn nur durch Anschieben in Gang setzen, und auf diesem Hang erreichten sie nicht genügend Geschwindigkeit, um ihn zu starten. Nach ein paar Minuten hustete und bockte der Motor und ging erneut aus. Er hob suchend den Kopf, und keine zehn Meter entfernt kam einer von ihnen, der im Gehen seinen Gürtel löste, durch das Unkraut. Beide erstarrten sie.

Er spannte den Hahn und richtete den Revolver auf den Mann, der, einen Arm leicht vom Körper abgespreizt, dastand, während die schmutzige, zerknitterte Staubmaske, die er trug, sich abwechselnd blähte und einbuchtete.

Schön langsam näher kommen.

Der Mann schaute zur Straße.

Schau nicht dorthin. Schau mich an. Ein Laut, und du bist tot.

Den Gürtel in einer Hand, kam er näher. Die Löcher darin markierten seine fortschreitende Abmagerung, und das Leder wies eine wie lackiert wirkende Stelle auf, wo er es gewohnt war, die Klinge seines Messers abzuziehen. Er trat auf die Fahrbahn herunter, und sein Blick ging von dem Revolver zu dem Jungen. Die Augen eingefasst von schmutzigen Höhlen und tief eingesunken. Als säße ein Tier in seinem Schädel und blickte zu den Augenlöchern hinaus. Er trug einen Bart, der unten mit einer Schere gerade abgeschnitten worden war, und seinen Hals zierte die Tätowierung eines Vogels, ausgeführt von jemandem mit einer verqueren Vorstellung von der Gestalt dieser Tiere. Er war mager, drahtig, rachitisch. Trug einen verdreckten blauen Overall und eine schwarze Schirmmütze, in die vorne das Logo irgendeines längst nicht mehr existierenden Unternehmens eingestickt war.

Wo willst du hin?

Ich wollte scheißen gehen.

Wo wollt ihr mit dem Laster hin?

Ich weiß nicht.

Was heißt hier, du weißt es nicht? Nimm die Maske ab.

Der andere zog sich die Maske über den Kopf vom Gesicht, stand da und hielt sie in der Hand.

Das heißt, dass ich es nicht weiß.

Du weißt nicht, wo ihr hinwollt?

Nein.

Mit was fährt der Laster?

Diesel.

Wie viel habt ihr?

Auf der Pritsche stehen drei Zweihundert-Liter-Fässer.

Habt ihr Munition für die Gewehre?

Der Mann blickte zurück zur Straße.

Ich habe dir gesagt, du sollst nicht dahin schauen.

Ja. Wir haben Munition.

Wo habt ihr die her?

Gefunden.

Das ist gelogen. Was esst ihr?

Was wir so finden.

Was ihr so findet.

Ja. Er sah den Jungen an. Du schießt nicht, sagte er.

Das glaubst du.

Du hast bloß zwei Patronen. Vielleicht auch nur eine. Und die werden den Schuss hören.

Ja, das stimmt. Aber du nicht.

Wieso denn das?

Weil die Kugel schneller ist als der Schall. Sie wird in deinem Gehirn stecken, ehe du sie hören kannst. Um sie zu hören, bräuchtest du einen Frontallappen und außerdem so Sachen, die zum Beispiel Colliculus und Gyrus temporalis medialis heißen, und die hast du dann nicht mehr. Die sind dann bloß noch Brei.

Bist du Arzt?

Ich bin gar nichts.

Wir haben einen Verletzten. Es wäre nicht zu deinem Schaden.

Sehe ich so aus, als wäre ich schwachsinnig?

Ich weiß nicht, wie du aussiehst.

Warum schaust du ihn an?

Ich kann hinschauen, wo ich will.

Nein, kannst du nicht. Wenn du ihn nochmal anschaust, erschieße ich dich.

Der Junge saß, beide Hände auf der Schädelkrone, auf dem Boden und spähte zwischen den Unterarmen hindurch.

Ich wette, der Junge hat Hunger. Warum kommt ihr nicht einfach mit zum Laster? Dort kriegt ihr was zu essen. Ist doch nicht nötig, so stur zu sein.

Ihr habt nichts zu essen. Gehen wir.

Wohin?

Gehen wir.

Ich geh nirgendwohin.

Ach nein?

Nein. Mach ich nicht.

Du glaubst, ich bringe dich nicht um, aber da irrst du dich. Lieber wär's mir allerdings, ich würde mit dir so ungefähr zwei Kilometer die Straße da entlanggehen und dich dann freilassen. Mehr Vorsprung brauchen wir nicht. Ihr werdet uns nicht finden. Ihr würdet nicht mal wissen, in welche Richtung wir gegangen sind.

Weißt du, was ich glaube?

Was glaubst du denn?

Ich glaube, du bist ein Hosenscheißer.

Er ließ den Gürtel los, der mit allem, was daran hing, auf die Fahrbahn fiel. Eine Feldflasche. Eine alte Armeegürteltasche aus Drillich. Eine Lederscheide für ein Messer. Als er aufblickte, hielt die Straßenratte das Messer in der Hand. Der Mann hatte nur zwei Schritte gemacht, stand nun aber beinahe zwischen ihm und dem Kind.

Was soll denn das werden?

Er gab keine Antwort. Er war groß, aber sehr schnell. Er warf sich auf den Jungen, packte ihn, wälzte sich herum und kam wieder hoch, den Jungen an seine Brust gedrückt, das Messer an dessen Kehle. Der Mann war bereits in die Hocke gegangen, folgte, die Waffe in beiden Händen, der Bewegung des anderen, zielte und schoss, mit beiden Knien das Gleichgewicht haltend, aus einer Entfernung von knapp zwei Metern.

Der andere fiel sofort nach hinten, und aus dem Loch in seiner Stirn quoll Blut. Der Junge lag ohne jeden Ausdruck im Gesicht auf dem Schoß des Toten. Er steckte den Revolver in seinen Gürtel, warf sich den Rucksack über die Schulter, zog den Jungen hoch, drehte ihn um, hob ihn über seinen Kopf, setzte ihn sich auf die Schultern und rannte in scharfem Tempo den Fahrweg hinauf, hielt den Jungen dabei an den Knien fest, den Jungen, der sich an seiner Stirn festklammerte, blutbesudelt und stumm wie ein Stein.

Sie kamen zu einer alten Eisenbrücke im Wald, wo die verschwundene Straße einen nahezu verschwundenen Fluss überquert hatte. Er begann zu husten, obwohl er kaum genügend Luft dafür bekam. Geduckt schwenkte er von der Straße ab in den Wald. Er drehte sich um, blieb nach Luft ringend stehen und versuchte zu lauschen. Er hörte nichts. Er wankte noch etwa einen Kilometer weiter, sank schließlich auf die Knie und setzte den Jungen in Asche und Laub ab. Er wischte ihm das Blut vom Gesicht und hielt ihn an sich gedrückt. Alles okay, sagte er. Alles okay.

Den langen kalten Abend hindurch, während sich Dunkelheit herabsenkte, hörte er sie nur einmal. Er hielt den Jungen eng an sich gedrückt. In seinem Hals steckte ein Husten, der sich niemals löste. Der Junge, durch seine Jacke hindurch ganz zart und dünn, zitterte wie ein Hund. Die Schritte im Laub hielten inne. Dann bewegten sie sich weiter. Die Männer redeten weder, noch verständigten sie sich durch Zurufe, was die Sache nur noch unheimlicher machte. Mit dem endgültigen Einbruch der Dunkelheit schloss sich die eiserne Kälte um alles, und mittlerweile zitterte der Junge heftig. Hinter der Düsternis ging kein Mond auf, und es gab keinen Zufluchtsort. Ihr Rucksack enthielt eine einzige Decke, er holte sie heraus, wickelte den Jungen darin ein, zog den Reißverschluss seines Parkas auf und drückte den Jungen an sich. So lagen sie lange Zeit da, aber sie froren, und schließlich setzte er sich auf. Wir müssen weiter, sagte er. Wir können nicht einfach hier liegen. Er blickte sich um, aber es war nichts zu sehen. Er sprach in eine Schwärze ohne Tiefe und Dimension.

Er hielt den Jungen bei der Hand, während sie durch den Wald stolperten. Die andere Hand hielt er ausgestreckt vor sich. Mit geschlossenen Augen hätte er auch nicht schlechter gesehen. Der Junge war in die Decke gehüllt, und er sagte ihm, er solle sie nicht verlieren, weil sie sie nie wiederfinden würden. Das Kind wollte getragen werden, aber der Mann sagte ihm, er müsse in Bewegung bleiben. Die ganze Nacht stolperten und fielen sie durch den Wald, und lange vor Morgengrauen stürzte der Junge und wollte nicht wieder aufstehen. Er hüllte ihn in seinen eigenen Parka, wickelte ihn in die Decke und wiegte ihn eng an sich gedrückt im Sitzen hin und her. Im Revolver noch eine einzige Patrone. Du willst der Wahrheit nicht ins Auge sehen. Du willst einfach nicht.

In dem widerwilligen Licht, das als Tag firmierte, setzte er den Jungen ins Laub und musterte aufmerksam den Wald. Als es etwas heller wurde, stand er auf, ging ein Stück weit, schritt dann einen Kreis um ihr Indianerlager ab und hielt nach Hinweisen Ausschau, ohne jedoch etwas anderes zu finden als ihre eigene schwache Spur in der Asche. Er ging zurück und zog den Jungen hoch. Wir müssen gehen, sagte er. Der Junge zusammengesackt, sein Gesicht ausdruckslos. Der Dreck in seinem Haar getrocknet, sein Gesicht davon gestreift. Sprich mit mir, sagte er, aber der Junge blieb stumm.

Sie bewegten sich zwischen den noch stehenden toten Bäumen hindurch in Richtung Osten. Sie kamen an einem alten Holzhaus vorbei und überquerten eine ungepflasterte Straße. Ein gerodetes Stück Land, früher vielleicht einmal eine Gemüsefarm. Von Zeit zu Zeit blieben sie stehen, um zu lauschen. Die unsichtbare Sonne warf keine Schatten. Sie stießen unerwartet auf die Straße, er hielt den Jungen mit einer Hand zurück, und sie kauerten wie Aussätzige im Straßengraben und lauschten. Kein Wind. Totenstille. Nach einer Weile stand er auf und trat auf die Straße hinaus. Er drehte sich zu dem Jungen um. Na komm, sagte er. Der Junge tat wie geheißen, und der Mann wies auf die Spuren in der Asche, wo der Lastwagen gefahren war. Der Junge stand da, in die Decke gehüllt und den Blick auf die Straße gesenkt.

Er konnte nicht wissen, ob sie den Lastwagen wieder in Gang gebracht hatten. Nicht wissen, wie lange sie gewillt waren, im Hinterhalt zu liegen. Er schob sich den Rucksack von den Schultern, setzte sich hin und machte ihn auf. Wir müssen etwas essen, sagte er. Hast du Hunger?

Der Junge schüttelte den Kopf.

Nein. Natürlich nicht. Er nahm die Plastikflasche mit Wasser heraus, schraubte den Deckel ab und hielt sie dem Jungen hin, der sie nahm und im Stehen daraus trank. Er senkte die Flasche, kam wieder zu Atem, setzte sich im Schneidersitz auf die Straße und trank erneut. Dann gab er die Flasche zurück, der Mann trank, schraubte den Deckel wieder auf und durchstöberte den Rucksack. Sie aßen eine Dose weiße Bohnen, die sie zwischen sich hin- und hergehen ließen und in den Wald warfen, als sie leer war. Dann machten sie sich wieder auf den Weg die Straße entlang.

Die Lastwagen-Leute hatten direkt auf der Straße kampiert. Sie hatten ein Feuer gemacht, und im geschmolzenen Teer klebten verkohlte Holzscheite, dazu Asche und Knochen. Er ging in die Hocke und hielt die Hand über den Teer. Eine schwache Wärme ging davon aus. Er stand auf und blickte die Straße entlang. Dann ging er mit dem Jungen in den Wald zurück. Ich möchte, dass du hier wartest, sagte er. Ich gehe nicht weit weg. Ich kann dich hören, wenn du rufst.

Nimm mich mit, sagte der Junge. Er machte ein Gesicht, als würde er gleich zu weinen anfangen.

Nein. Ich möchte, dass du hier wartest.

Bitte, Papa.

Hör auf. Ich möchte, dass du tust, was ich dir sage. Nimm den Revolver.

Ich will den Revolver nicht.

Ich habe dich nicht gefragt, ob du ihn willst. Nimm ihn.

Er marschierte durch den Wald zu der Stelle, wo sie den Einkaufswagen zurückgelassen hatten. Er lag noch dort, war aber geplündert worden. Die wenigen Sachen, die sie nicht mitgenommen hatten, verstreut im Laub. Ein paar Bücher und Spielzeuge, die dem Jungen gehörten. Seine alten Schuhe und ein paar zerlumpte Kleidungsstücke. Er stellte den Wagen auf, legte die Sachen des Jungen hinein und schob ihn auf die Straße. Dann ging er zurück. Es war nichts da. Im Laub dunkle Flecken von getrocknetem Blut. Der Rucksack des Jungen war fort. Zurückgekehrt, fand er Knochen und Haut zusammengeschoben und mit Steinen abgedeckt. Ein kleiner Tümpel Innereien. Er stieß die Knochen mit der Fußspitze an. Sie sahen aus, als wären sie gekocht worden. Keinerlei Kleidungsstücke. Wieder brach Dunkelheit herein, es war bereits sehr kalt, und er drehte sich um, ging zu der Stelle, wo er den Jungen zurückgelassen hatte, kniete sich hin, legte die Arme um ihn und hielt ihn fest.

Sie schoben den Wagen durch den Wald bis zu der alten Straße, wo sie ihn stehen ließen und, wegen der hereinbrechenden Dunkelheit in großer Eile, Richtung Süden gingen. Der Junge stolperte nur noch, so müde war er, und der Mann hob ihn hoch, setzte ihn sich auf die Schultern, und sie gingen weiter. Als sie bei der Brücke anlangten, herrschte kaum noch Licht. Er setzte den Jungen ab, und sie tasteten sich zum Ufer hinunter. Unter der Brücke holte er sein Feuerzeug hervor, entzündete es und suchte mit dem flackernden Licht den Boden ab. Von dem kleinen Flüsschen angeschwemmter Sand und Kies. Er stellte den Rucksack ab, steckte das Feuerzeug ein und fasste den Jungen bei den Schultern. In der Dunkelheit konnte er ihn gerade noch ausmachen. Ich möchte, dass du hier wartest, sagte er. Ich gehe Holz holen. Wir brauchen ein Feuer.

Ich habe Angst.

Ich weiß. Aber ich entferne mich nicht weit und werde dich hören können, und wenn du Angst bekommst, kannst du mich rufen, dann komme ich sofort.

Ich habe wirklich Angst.

Je eher ich gehe, desto eher bin ich wieder da, und dann haben wir ein Feuer, und du hast keine Angst mehr. Leg dich nicht hin. Wenn du dich hinlegst, schläfst du ein, und wenn ich dann nach dir rufe, gibst du keine Antwort und ich kann dich nicht finden. Verstehst du?

Der Junge gab keine Antwort. Er war kurz davor, die Geduld mit ihm zu verlieren, als ihm aufging, dass der Junge im Dunkeln den Kopf schüttelte. Okay, sagte er. Okay.

Er kraxelte die Uferböschung hinauf und in den Wald hinein, die Hände vor sich gestreckt. Überall war Holz, tote Äste und Zweige, auf dem Boden verstreut. Mit den Füßen schob er sie zu einem Haufen zusammen, und als er einen Armvoll beieinander hatte, bückte er sich, hob sie auf und rief den Jungen, der Antwort gab und ihn durch Zurufe zur Brücke zurückdirigierte. Sie saßen im Dunkeln, während er mit seinem Messer Späne von Stöcken schälte und die kleinen Zweige mit den Händen zerbrach. Er zog das Feuerzeug aus seiner Tasche und betätigte mit dem Daumen das Rädchen. Es war ein Benzinfeuerzeug, das mit schwacher blauer Flamme brannte, und er beugte sich vor, setzte den Zunder in Brand und sah zu, wie das Feuer an dem Flechtwerk von Zweigen emporkletterte. Er häufte mehr Holz darauf, blies die kleine Lohe vorsichtig von unten an und schichtete das Holz so, dass das Feuer eine gewisse Form bekam.

Er unternahm noch zwei Gänge in den Wald, bei denen er mehrere Armvoll Buschwerk und Äste zur Brücke schleppte und sie über das Geländer wuchtete. Er konnte den Schein des

Feuers aus einiger Entfernung sehen, glaubte jedoch nicht, dass er von der anderen Straße aus zu sehen war. Unter der Brücke konnte er zwischen den Steinen einen dunklen Tümpel stehenden Wassers ausmachen. Einen Rand aus sanft abfallendem Eis. Er stand auf der Brücke und stieß den letzten Haufen Holz über das Geländer, sein Atem weiß im Schimmer des Feuerlichts.

Er saß im Sand und machte eine Bestandsaufnahme des Rucksackinhalts. Das Fernglas. Eine fast volle Halbliterflasche Benzin. Die Wasserflasche. Eine Flachzange. Zwei Löffel. Er legte alles vor sich aus. Es gab noch fünf kleine Konservendosen, und er entschied sich für eine Dose Würstchen und eine Dose Mais, öffnete sie mit dem kleinen Armeedosenöffner, stellte sie in die Glut am Rand des Feuers, und dann sahen sie zu, wie die Etiketten sich wellten und verkohlten. Als der Mais zu dampfen begann, nahm er die Dosen mit der Zange vom Feuer, und sie beugten sich mit ihren Löffeln darüber und aßen langsam. Der Junge nickte immer wieder kurz ein.

Als sie gegessen hatten, ging er mit dem Jungen auf den Kiesstreifen unter der Brücke, stocherte mit einem Stock das dünne Eis am Ufer weg, und dann knieten sie sich hin, und er wusch dem Jungen Gesicht und Haare. Das Wasser war so kalt, dass der Junge weinte. Sie bewegten sich den Kiesstreifen entlang, um frisches Wasser zu finden, und er wusch ihm das Haar noch einmal, so gut es ging, und hörte schließlich auf, weil der Junge vor Kälte stöhnte. Er trocknete ihn mit der Decke ab, kniete dabei im Schimmer des Lichts, das den Schatten des Brückenunterbaus wie zerbrochen auf die Baumstümpfe jenseits des Flüsschens warf. Das ist mein Kind, sagte er. Ich wasche ihm das Gehirn eines Toten aus dem Haar. Das ist meine Aufgabe. Dann wickelte er ihn in die Decke und trug ihn zum Feuer.

Der Junge schwankte im Sitzen. Der Mann gab acht, dass er nicht in die Flammen fiel. Mit dem Fuß scharrte er Vertiefungen für Hüften und Schultern des Jungen in den Sand, um ihm eine Schlafstelle zu schaffen, dann setzte er sich mit ihm ans Feuer, hielt ihn in den Armen und zauste ihm das Haar, um es zu trocknen. Dies alles glich einem uralten Ritual der Salbung. So sei es. Beschwöre die Formen herauf. Wenn du nichts anderes hast, ersinne aus dem Nichts Zeremonien und hauche ihnen Leben ein.

Nachts erwachte er von der Kälte, stand auf und machte mehr Holz für das Feuer klein. Die Formen der kleinen Äste brannten leuchtend orange in der Glut. Er blies die Flammen an, häufte das Holz darauf und setzte sich, an den steinernen Brückenpfeiler gelehnt, im Schneidersitz davor. Schwere Kalksteinblöcke, ohne Mörtel verlegt. Darüber die von Rost braune Eisenkonstruktion, die eingeschlagenen Nieten, die Schwellen und Planken. Der Sand, in dem er saß, fühlte sich warm an, doch jenseits des Feuers war die Nacht schneidend kalt. Er stand auf, schleppte frisches Holz unter die Brücke. Er stand da und lauschte. Der Junge rührte sich nicht. Er setzte sich neben ihn und strich ihm über das fahle, wirre Haar. Goldener Kelch, gut, um einen Gott zu beherbergen. Bitte sag mir nicht, wie die Geschichte endet. Als er wieder in die Dunkelheit jenseits der Brücke schaute, schneite es.

Alles, was sie zum Verbrennen hatten, war Kleinholz, und das Feuer hielt nur etwas über eine Stunde vor. Er schleppte den Rest des Buschwerks unter die Brücke und machte es klein, indem er sich auf die Zweige stellte und sie in der passenden Länge abbrach. Er dachte, der Lärm werde den Jungen aufwecken, aber das war nicht der Fall. Das feuchte Holz zischte in den Flammen, es schneite weiter. Am Morgen würden sie sehen, ob auf der Straße Spuren waren oder nicht. Es war seit über einem Jahr der erste Mensch außer dem Jungen gewesen, mit dem er gesprochen hatte. Endlich mein Bruder. Das reptilienhaft Berechnende in den kalten, ruhelosen Augen. Die grauen, fauligen Zähne. Von Menschenfleisch verklebt. Der mit jedem Wort eine Lüge aus der Welt gemacht hat. Als er wieder aufwachte, hatte es zu schneien aufgehört, und die körnige Dämmerung modellierte die nackten Waldungen jenseits der Brücke heraus, die Bäume, die sich schwarz vom Schnee abhoben. Er lag zusammengekrümmt da, die Hände zwischen den Knien, und er setzte sich auf, brachte das Feuer in Gang und stellte eine Dose Beten in die Glut. Der Junge lag zusammengekauert auf dem Boden und sah ihm zu.

Der Neuschnee lag in dünnen Schichten überall im Wald, auf den Zweigen und in Blätter geschmiegt, schon grau von Asche. Sie marschierten zu der Stelle, wo sie den Wagen zurückgelassen hatten, er legte den Rucksack hinein und schob ihn auf die Straße. Keine Spuren. Sie lauschten in der vollkommenen Stille. Dann machten sie sich durch den grauen Matsch auf den Weg, der Junge neben ihm mit den Händen in den Taschen.

Sie trotteten den ganzen Tag dahin, der Junge schweigend. Bis zum Nachmittag war der Schneematsch von der Straße geschmolzen, und bis zum Abend war sie trocken. Sie machten nicht halt. Wie viele Kilometer? Zwölf, fünfzehn. Früher hatten sie mit vier großen Unterlegscheiben, die sie in einem Eisenwarenladen gefunden hatten, ein Wurfringspiel gespielt, doch die waren nun wie alles andere weg. In jener Nacht kampierten sie in einer Schlucht, machten an einem kleinen Felsvorsprung ein Feuer und aßen ihre letzte Konservendose. Er hatte sie bis jetzt zurückgehalten, weil es das Lieblingsgericht des Jungen war, Schweinefleisch mit Bohnen. Sie sahen zu, wie es in der Glut langsam vor sich hin blubberte, dann nahm er die Dose mit der Zange heraus, und sie aßen stumm. Er schwenkte die leere Dose mit Wasser aus, gab sie dem Kind zu trinken, und damit hatte es sich. Ich hätte vorsichtiger sein müssen, sagte er.

Der Junge blieb stumm.

Du musst mit mir reden.

Okay.

Du wolltest wissen, wie die Bösen aussehen. Jetzt weißt du es. Vielleicht passiert das wieder. Meine Aufgabe ist es, auf dich aufzupassen. Damit hat mich Gott beauftragt. Ich bringe jeden um, der dich anfasst. Verstehst du?

Ja.

Der Junge saß da, bis über den Kopf in die Decke gehüllt. Nach einer Weile blickte er auf. Sind wir immer noch die Guten?, fragte er.

Ja. Wir sind immer noch die Guten.

Und das werden wir auch immer sein.

Ja. Das werden wir immer sein.

Okay.

Am anderen Morgen stiegen sie aus der Schlucht heraus und machten sich wieder auf den Weg. Aus einem Stück Rohr an der Straße hatte er dem Jungen eine Flöte geschnitzt, die er nun aus seiner Jackentasche zog und ihm gab. Der Junge nahm sie wortlos entgegen. Nach einer Weile fiel er zurück, und wieder etwas später konnte der Mann ihn spielen hören. Eine formlose Musik für das kommende Zeitalter. Oder vielleicht die letzte Musik auf der Erde, beschworen aus der Asche ihres Untergangs. Der Mann drehte sich um und betrachtete ihn. Er war völlig in sein Spiel vertieft. Er kam ihm vor wie ein trauriger, einsamer Wechselbalg, der die Ankunft eines Wanderschauspiels in Grafschaft und Dorf ankündigt und noch nicht weiß, dass hinter ihm alle Schauspieler von Wölfen verschleppt worden sind.

Er saß im Schneidersitz auf dem höchsten Punkt eines Kammes im Laub und suchte mit dem Fernglas das Tal unten ab. Die stille, wie gegossene Form eines Flusses. Die dunklen Ziegelsteinschornsteine einer Fabrik. Schieferdächer. Ein alter, hölzerner Wasserturm, mit eisernen Reifen verstärkt. Kein Rauch, keine Regung von Leben. Er senkte das Fernglas und beobachtete weiter.

Was siehst du?, fragte der Junge.

Nichts.

Er reichte ihm das Fernglas hinüber. Der Junge streifte sich den Trageriemen über den Kopf, nahm das Fernglas vor die Augen und stellte es scharf. Alles um sie herum ganz still.

Ich sehe Rauch, sagte er.

Wo?

Hinter den Gebäuden da.

Was für Gebäude?

Der Junge gab ihm das Fernglas zurück, und er stellte es neu ein. Eine ganz fahle Rauchfahne. Ja, sagte er. Jetzt sehe ich es auch.

Was sollen wir tun, Papa?

Ich denke, wir sollten mal nachsehen. Wir müssen bloß vorsichtig sein. Wenn es eine Kommune ist, werden sie Barrikaden haben. Vielleicht sind es aber auch nur Flüchtlinge.

Wie wir.

Ja. Wie wir.

Und wenn es die Bösen sind?

Ein gewisses Risiko müssen wir eingehen. Wir müssen etwas zu essen auftreiben.

Sie ließen den Wagen im Wald stehen, überquerten ein Eisenbahngleis und stiegen durch toten schwarzen Efeu eine steile Böschung hinunter. Er hatte den Revolver in der Hand. Bleib dicht bei mir, sagte er. Der Junge tat wie geheißen. Sie bewegten sich durch die Straßen wie Pioniere. Häuserblockweise. In der Luft ein leichter Geruch nach Holzrauch. Sie warteten in einem Laden und beobachteten die Straße, aber es rührte sich nichts. Sie durchstöberten Abfall und Trümmer. Herausgerissene und ausgekippte Schubladen, Papier und aufgequollene Pappschachteln. Sie fanden nichts. Sämtliche Geschäfte waren schon vor Jahren geplündert worden, das Fensterglas größtenteils herausgebrochen. Drinnen war es fast zu dunkel, um etwas zu sehen. Der Junge hielt sich an seiner Hand fest, als sie die gerippten Stahlstufen einer Rolltreppe hinaufstiegen. An einer Stange hingen ein paar staubige Anzüge. Sie suchten nach Schuhen, aber es gab keine. Sie durchwühlten den Abfall, aber es fand sich nichts, was sie gebrauchen konnten. Als sie zurückkamen, nahm er die Jacketts der Anzüge von den Bügeln, schüttelte sie aus und legte sie sich über den Arm. Gehen wir, sagte er.

Er dachte, es müsse etwas Übersehenes geben, aber es gab nichts. Mit den Füßen durchwühlten sie den Abfall in den Gängen eines Supermarkts. Altes Verpackungsmaterial, Papier und die ewige Asche. Er durchsuchte die Regale nach Vitaminen. Er öffnete die Tür eines Gefrierraums, doch aus der Dunkelheit schlug ihm der säuerliche Gestank der Toten entgegen, und er schloss sie rasch wieder. Sie standen auf der Straße. Er blickte zum grauen Himmel auf. Die schwachen Wölkchen ihres Atems. Der Junge war erschöpft. Er nahm ihn bei der Hand. Ein bisschen müssen wir schon noch suchen, sagte er. Wir müssen weitersuchen.

Die Häuser am Stadtrand boten wenig mehr. Über eine Hintertreppe gelangten sie in eine Küche und begannen die Schränke zu durchsuchen. Ihre Türen standen allesamt offen. Eine Dose Backpulver. Er stand da und betrachtete sie. Im Esszimmer durchstöberten sie die Schubladen einer Anrichte. Sie gingen ins Wohnzimmer. Auf dem Boden lagen wie alte Dokumente Rollen abgelöster Tapete. Der Junge blieb mit den Jacketts auf der Treppe sitzen, während er nach oben ging.

Alles roch nach Feuchtigkeit und Moder. Im ersten Schlafzimmer ein mumifizierter Leichnam, die Decken bis zum Hals hochgezogen. Auf dem Kissen Überreste von verfaultem Haar. Er packte den unteren Saum der Decke, zog sie vom Bett, schüttelte sie aus und klemmte sie sich gefaltet unter den Arm. Er durchsuchte die Kommoden und Schränke. Auf einem Drahtbügel ein Sommerkleid. Nichts. Er ging die Treppe hinunter. Es wurde dunkel. Er nahm den Jungen bei der Hand, und sie gingen zur Haustür auf die Straße hinaus.

Auf der Hügelkuppe drehte er sich um und musterte die Stadt. Rasch hereinbrechende Dunkelheit. Er legte dem Jungen zwei Jacketts um, in denen dieser samt Parka förmlich ertrank.

Ich habe richtig Hunger, Papa.

Ich weiß.

Finden wir unsere Sachen wieder?

Ja. Ich weiß, wo sie sind.

Und wenn jemand anders sie findet?

Es findet sie niemand anders.

Hoffentlich.

Es findet sie niemand. Komm jetzt.

Was war das?

Ich habe nichts gehört.

Hör doch mal.

Ich höre nichts.

Sie lauschten. Dann hörten sie in der Ferne einen Hund bellen. Er drehte sich um und blickte in Richtung der dunkel werdenden Stadt. Das ist ein Hund, sagte er.

Ein Hund?

Ja.

Wo ist der hergekommen?

Ich weiß nicht.

Wir bringen ihn doch nicht um, oder, Papa?

Nein. Wir bringen ihn nicht um.

Er blickte auf den Jungen hinab. Der in seinen Jacketts zitterte. Er bückte sich und küsste ihn auf die schmutzige Stirn. Wir tun dem Hund nichts, sagte er. Versprochen.

Sie schliefen unter einer Überführung in einem geparkten Wagen, die Jacketts und die Decke auf sich gehäuft. In der Dunkelheit und der Stille konnte er da und dort Lichtpünktchen auf dem Tarnnetz der Nacht erscheinen sehen. Die höheren Stockwerke der Gebäude waren allesamt dunkel. Man müsste Wasser hinaufschleppen. Man könnte ausgeräuchert werden. Was aßen sie? Das wusste nur der Himmel. In die Jacketts gehüllt, blickten sie zum Fenster hinaus. Wer ist das, Papa?

Ich weiß nicht.

In der Nacht wachte er auf und lauschte. Er konnte sich nicht erinnern, wo er war. Der Gedanke brachte ihn zum Lächeln. Wo sind wir?, sagte er.

Was ist denn, Papa?

Nichts. Alles in Ordnung. Schlaf weiter.

Wir schaffen es doch, oder, Papa?

Ja. Wir schaffen es.

Und uns wird nichts Schlimmes passieren?

Richtig.

Weil wir das Feuer bewahren.

Ja. Weil wir das Feuer bewahren.

Am anderen Morgen fiel ein kalter Regen. Er wehte trotz der Überführung über das Auto und tanzte auf der Straße dahinter. Sie saßen da und starrten durch das Wasser auf der Scheibe. Als der Regen endlich nachließ, war ein Großteil des Tages vorüber. Sie ließen die Jacketts und die Decke auf dem Boden vor dem Rücksitz liegen und gingen die Straße hinauf, um weitere Häuser zu durchsuchen. In der feuchten Luft Holzrauch. Den Hund hörten sie nicht mehr.

Sie fanden einige Utensilien und ein paar Kleidungsstücke. Ein Sweatshirt. Etwas Plastikfolie, die sie als Plane verwenden konnten. Er war sich sicher, dass sie beobachtet wurden, sah jedoch niemanden. In einer Speisekammer stießen sie auf Reste eines Sacks Maismehl, über den sich in jener lang vergangenen Zeit Ratten hergemacht hatten. Er siebte das Mehl durch ein Stück Fliegengitter, auf dem eine kleine Handvoll getrockneter Kot zurückblieb, dann entzündeten sie auf der Betonveranda des Hauses ein Feuer, machten Fladen aus dem Mehl und buken sie auf einem Stück Blech. Sie aßen sie langsam, einen nach dem anderen. Die wenigen, die übrigblieben, wickelte er in ein Stück Papier und steckte sie in den Rucksack.

Der Junge saß auf der Eingangstreppe, als er am hinteren Ende der Einfahrt des gegenüberliegenden Hauses eine Bewegung wahrnahm. Ein Gesicht sah ihn an. Ein Junge, ungefähr in seinem Alter, in einen zu großen Wollmantel mit aufgekrempelten Ärmeln gehüllt. Er stand auf. Er rannte über die Straße und die Einfahrt hinauf. Niemand da. Er blickte zum Haus hin und rannte dann durch das tote Unkraut bis zum hinteren Ende des Gartens, an einen stillen schwarzen Bach. Komm zurück, rief er. Ich tu dir nichts. Er stand immer noch da und weinte, als sein Vater über die Straße gerannt kam und ihn am Arm packte.

Was machst du denn da?, zischte er. Was soll denn das?

Da ist ein kleiner Junge, Papa. Da ist ein kleiner Junge.

Da ist kein kleiner Junge. Was soll denn das?

Doch, da ist ein kleiner Junge. Ich habe ihn gesehen.

Ich habe dir doch gesagt, du sollst dich nicht vom Fleck rühren. Habe ich dir das nicht gesagt? Jetzt müssen wir gehen. Komm.

Ich wollte ihn doch bloß sehen, Papa. Ich wollte ihn bloß sehen.

Der Mann nahm ihn beim Arm, und sie gingen durch den Garten zurück. Der Junge hörte nicht auf zu weinen und blickte sich immer wieder um. Komm schon, sagte der Mann. Wir müssen gehen.

Ich will ihn sehen, Papa.

Es gibt niemanden zu sehen. Willst du sterben? Ist es das, was du willst?

Das ist mir egal, sagte der Junge schluchzend. Das ist mir egal.

Der Mann blieb stehen. Er blieb stehen, ging in die Hocke und zog ihn an sich. Es tut mir leid, sagte er. Sag das nicht. Du darfst das nicht sagen.

Sie gingen durch die nassen Straßen zur Überführung zurück, holten die Jacketts und die Decke aus dem Auto, marschierten weiter zum Bahndamm, wo sie hinaufkletterten, die Gleise überquerten, in den Wald eintauchten, den Wagen holten und den Highway ansteuerten.

Und wenn der kleine Junge niemanden hat, der auf ihn aufpasst?, fragte er. Wenn er keinen Papa hat?

Dort sind Leute. Sie haben sich bloß versteckt.

Er schob den Wagen auf die Straße und blieb stehen. Er konnte die Spuren des Lastwagens in der feuchten Asche erkennen, schwach und ausgewaschen, aber vorhanden. Er meinte sie riechen zu können. Der Junge zog an seiner Jacke. Papa, sagte er.

Was denn?

Ich habe Angst um den kleinen Jungen.

Ich weiß. Aber ihm passiert schon nichts.

Wir sollten ihn holen, Papa. Wir könnten ihn holen und mitnehmen. Wir könnten ihn mitnehmen, und den Hund auch. Der Hund könnte was zu essen fangen.

Das geht nicht.

Und ich würde dem kleinen Jungen die Hälfte von meinem Essen abgeben.

Hör auf. Es geht nicht.

Er weinte wieder. Was wird aus dem kleinen Jungen?, schluchzte er. Was wird aus dem kleinen Jungen?

In der Dämmerung setzten sie sich an einer Kreuzung auf die Straße, und er legte die einzelnen Blätter der Karte auf den Boden und studierte sie. Er tippte mit dem Finger auf eine bestimmte Stelle. Hier sind wir, sagte er. Genau hier. Der Junge sah nicht hin. Der Mann studierte das verschlungene Streckenmuster in Rot und Schwarz, den Finger auf die Kreuzung gelegt, wo er zu sein meinte. Als sähe er sie ganz klein dort kauern. Wir könnten zurückgehen, sagte der Junge leise. Es ist nicht so weit. Es ist nicht zu spät.

In einem Waldstück nicht weit von der Straße entfernt fanden sie einen trockenen Lagerplatz. Es gab keine geschützte Stelle, an der sie ein Feuer hätten machen können, das nicht zu sehen gewesen wäre, also machten sie keines. Jeder von ihnen aß zwei Maismehlfladen, dann schliefen sie, in die Jacketts und Decken gehüllt, aneinandergeschmiegt auf dem Boden. Er hielt den Jungen in den Armen, und nach einer Weile hörte der Junge zu zittern auf und schlief etwas später ein.

Der Hund, an den er sich erinnert, folgte uns zwei Tage lang. Ich versuchte erfolglos, ihn anzulocken. Ich machte eine Drahtschlinge, um ihn zu fangen. Im Revolver waren drei Patronen. Keine zu erübrigen. Sie entfernte sich die Straße hinunter. Der Junge schaute ihr nach, dann schaute er mich an und dann den Hund, und dann begann er zu weinen und um das Leben des Hundes zu bitten, und ich versprach, dem Hund nichts zu tun. Ein bloßes Skelett, über das sich die Haut spannte. Am nächsten Tag war er verschwunden. Das ist der Hund, an den er sich erinnert. An irgendwelche kleinen Jungen erinnert er sich nicht.

Er hatte eine Handvoll Rosinen in ein Tuch eingeschlagen und in die Tasche gesteckt, und gegen Mittag setzten sie sich in das tote Gras am Straßenrand und aßen sie. Der Junge sah ihn an. Das ist alles, was noch da ist, stimmt's?, fragte er.

Ja.

Müssen wir jetzt sterben?

Nein.

Was machen wir jetzt?

Wir trinken ein bisschen Wasser. Dann gehen wir weiter die Straße entlang.

Okay.

Am Abend stapften sie auf der Suche nach einer Stelle, an der ihr Feuer nicht zu sehen sein würde, über ein Feld. Zogen den Wagen hinter sich her über die Erde. So wenig Verheißungsvolles in diesem Land. Morgen würden sie etwas zu essen auftreiben. Die Nacht holte sie auf einer matschigen Straße ein. Sie bogen auf das Feld ab und trotteten einem fernen Gehölz entgegen, das sich hart und schwarz vor dem letzten Rest der sichtbaren Welt abzeichnete. Bis sie dort anlangten, war es finstere Nacht. Er hielt den Jungen bei der Hand, schob mit dem Fuß Zweige und Buschwerk zusammen und machte Feuer. Das Holz war feucht, aber er schälte mit seinem Messer die tote Rinde ab und schichtete Buschwerk und Stöcke um das Feuer herum, damit sie in der Hitze trockneten. Dann breitete er die Plastikplane auf dem Boden aus, holte Jacken und Decken aus dem Wagen, zog sich und dem Jungen die feuchten, schlammverkrusteten Schuhe aus, und dann saßen sie da, die Hände zu den Flammen hingestreckt. Er überlegte, was er sagen könnte, aber ihm fiel nichts ein. Er hatte dieses Gefühl, das über die Benommenheit und dumpfe Verzweiflung hinausging, schon einmal gehabt. Dass die Welt auf einen rohen Kern nicht weiter zerlegbarer Begriffe zusammenschrumpfte. Dass die Namen der Dinge langsam den Dingen selbst in die Vergessenheit folgten. Farben. Die Namen von Vögeln. Dinge, die man essen konnte. Schließlich die Namen von Dingen, die man für wahr hielt. Zerbrechlicher, als er gedacht hätte. Wie viel war schon verschwunden? Das heilige Idiom wurde seiner Bezüge und damit seiner Wirklichkeit beraubt. Zog sich zusammen wie etwas, das Wärme zu halten versucht. Und irgendwann endgültig erlöschen wird.

In ihrer Erschöpfung schliefen sie die Nacht durch, und am Morgen war das Feuer nur noch tote schwarze Asche. Er zog seine schlammverkrusteten Schuhe an und blies, während er Holz sammeln ging, auf seine gewölbten Hände. So kalt. Es könnte November sein. Oder auch später. Er zündete ein Feuer an und ging bis an den Rand des Waldstückes, wo er stehen blieb und auf die Landschaft hinausblickte. Die toten Felder. In der Ferne eine Scheune.

Sie marschierten los, die ungepflasterte Straße entlang über einen Hügel, wo einmal ein Haus gestanden hatte. Es war vor langer Zeit abgebrannt. Im schwarzen Wasser des Kellers stand die verrostete Form eines Heizkessels. Eingedellt auf den Feldern, wo der Wind sie hingeweht hatte, Stücke von verkohltem Dachblech. In der Scheune ergatterten sie auf dem staubigen Boden eines Stahlblechsilos ein paar Handvoll irgendeines Getreides, das er nicht erkannte und das sie mitsamt dem Staub an Ort und Stelle aßen. Dann machten sie sich über die Felder auf den Weg zur Straße.

Sie folgten einer Steinmauer, vorbei an den Überresten eines Obstgartens. Die Bäume in ihren ordentlichen Reihen verkrümmt und schwarz, der Boden dicht mit abgebrochenen Ästen bedeckt. Er blieb stehen und blickte über die Felder. Wind im Osten. Die weiche Asche in den Furchen bewegte sich, kam zum Stillstand, bewegte sich erneut. Er hatte das alles schon gesehen. Auf den Grasstoppeln Formen aus getrocknetem Blut und Eingeweideschlingen, wo man die Erschlagenen ausgeweidet und fortgeschleppt hatte. Die Mauer dahinter zierte ein Fries von Menschenköpfen, lauter gleiche Gesichter, vertrocknet und eingefallen, mit straffem Grinsen und tief eingesunkenen Augen. Sie trugen Goldringe in ihren Lederohren, und das schüttere, strähnige Haar auf ihren Schädeln flatterte im Wind. Die Zähne in ihren Höhlen wie Abgüsse, die primitiven Tätowierungen mit irgendeinem selbstgebrauten, im spärlichen Sonnenlicht verblassten Waid eingeritzt. Spinnen, Schwerter, Zielscheiben. Ein Drache. Runenhafte Slogans, falsch geschriebene Glaubenssätze. Alte Narben mit alten, an den Rändern eingestochenen Motiven. Den nicht völlig zertrümmerten Köpfen hatte man die Haut abgezogen, die nackten Schädel waren bemalt und auf der Stirn mit einem Krakel signiert, ein weißer Knochenschädel hatte sorgfältig mit Farbe nachgestochene Nähte, wie bei einer Bauanleitung. Er blickte zu dem Jungen zurück. Der stand neben dem Wagen im Wind. Er betrachtete das trockene, sich leicht bewegende Gras und die dunklen, verkrümmten Bäume in ihren Reihen. Ein paar an die Mauer gewehte Kleiderfetzen, alles grau von Asche. Er ging die Mauer entlang, kam zu einer letzten Inspektion an den Masken vorbei und gelangte durch einen Durchlass zu der Stelle, wo der Junge wartete. Er legte ihm den Arm um die Schultern. Okay, sagte er. Gehen wir.

Inzwischen sah er in jeder derartigen Episode der jüngsten Vergangenheit eine Botschaft, eine Botschaft und eine Warnung, und als solche erwies sich auch das Tableau der Erschlagenen und Gefressenen. Als er am Morgen erwachte, sich, in die Decke gewickelt, umdrehte und zwischen den Bäumen hindurch die Straße entlangblickte, auf der sie gekommen waren, sah er die ersten Viererreihen der Marschierenden auftauchen. In Kleidern aller Art, jeder mit einem roten Halstuch. Rot oder Orange, Farben, die Rot möglichst nahekamen. Er legte dem Jungen die Hand auf den Kopf. Pst, sagte er.

Was ist denn, Papa?

Leute auf der Straße. Lass den Kopf unten. Sieh nicht hin.

Kein Rauch von dem toten Feuer. Vom Wagen nichts zu sehen. Er schmiegte sich an den Boden, beobachtete sie über seinen Unterarm hinweg. Eine Armee in Tennisschuhen, mit

schwerem Schritt. In den Händen einen Meter lange Stahl-
rohrstücke, mit Leder umwickelt. Kordeln an den Handgelen-
ken. Durch manche Rohrstücke waren kurze Ketten gefädelt,
an deren Enden alle Arten von Knütteln befestigt waren. In
wiegendem Gang, wie Spielzeuge zum Aufziehen, klirrten sie
vorbei. Bärtig, ihr Atem wie Rauch vor ihren Mundschutzen.
Pst, sagte er. Pst. Die folgende Phalanx trug mit Bändern ver-
zierte Speere oder Lanzen, die langen Spitzen in irgendeiner
primitiven Schmiede im Landesinneren aus Lkw-Federn
zurechtgehämmert. Der Junge barg völlig verängstigt das Gesicht in den Armen. Keine hundert Meter entfernt marschierten sie vorbei, sodass der Boden leicht bebte. Mit schwerem
Schritt. Hinter ihnen kamen Karren, gezogen von angeschirr-
ten Sklaven und hoch beladen mit Kriegsbeute, danach die
Frauen, etwa ein Dutzend, einige davon schwanger, und zuletzt ein Reservekontingent von Lustknaben, für die Kälte zu
dünn angezogen und um den Hals Hundehalsbänder, über die
sie miteinander verbunden waren. Das Ganze zog vorüber. Sie
lagen da und lauschten.

Sind sie weg, Papa?

Ja, sie sind weg.

Hast du sie gesehen?

Ja.

Waren das die Bösen?

Ja, das waren die Bösen.

Gibt ganz schön viele von diesen Bösen.

Ja. Aber jetzt sind sie weg.

Sie standen auf, klopften sich die Kleider ab, lauschten der
fernen Stille.

Wo wollen die hin, Papa?

Ich weiß nicht. Sie sind unterwegs. Das ist kein gutes Zeichen.

Warum ist das kein gutes Zeichen?

Es ist eben so. Wir müssen einen Blick auf die Karte werfen.

Sie zogen den Wagen aus dem Buschwerk, mit dem sie ihn getarnt hatten, er richtete ihn auf und lud die Decken und die Jacketts ein, dann gingen sie hinaus auf die Straße, blieben stehen und sahen zu der Stelle hin, wo der letzte der zerlumpten Horde wie ein Nachbild in der bewegten Luft zu schweben schien.

Am Nachmittag fing es wieder zu schneien an. Sie blieben stehen und sahen zu, wie die fahlgrauen Flocken aus der düsteren Trübnis herabschwebten. Sie trotteten weiter. Auf der dunklen Straßendecke bildete sich dünner Schneematsch. Der Junge fiel immer wieder zurück, und er blieb stehen und wartete auf ihn. Bleib bei mir, sagte er.

Du gehst zu schnell.

Ich gehe langsamer.

Sie gingen weiter.

Du redest schon wieder nicht mit mir.

Ich rede doch.

Willst du haltmachen?

Ich will immer haltmachen.

Wir müssen vorsichtiger sein. Ich muss vorsichtiger sein.

Ich weiß.

Wir machen halt. Okay?

Okay.

Wir müssen bloß eine geeignete Stelle finden.

Okay.

Der fallende Schnee umfing sie wie ein Vorhang. Weder auf der einen noch auf der anderen Straßenseite war etwas zu erkennen. Er hustete wieder, und der Junge fröstelte, während sie Seite an Seite, das Stück Plastikplane über ihre Köpfe gezogen, den Einkaufswagen durch den Schnee schoben. Schließlich blieb er stehen. Der Junge zitterte unkontrollierbar.

Wir müssen haltmachen, sagte er.

Es ist wirklich kalt.

Ich weiß.

Wo sind wir?

Wo wir sind?

Ja.

Ich weiß nicht.

Wenn wir sterben müssten, würdest du es mir dann sagen?

Ich weiß nicht. Wir müssen nicht sterben.

Sie ließen den Wagen auf der Seite liegend in einer Riedgraswiese zurück, er nahm die in die Plastikplane gewickelten Jacken und Decken, und sie machten sich auf den Weg. Durch das Riedgras kamen sie an einen Zaun, den sie durchstiegen, wobei jeder dem anderen mit den Händen den Draht herunterdrückte. Der Draht war kalt und knirschte in den Krampen. Es wurde rasch dunkel. Sie gingen weiter. Schließlich gelangten sie zu einem Zedernwäldchen, die Bäume tot und schwarz, aber noch voll genug, um den Schnee abzuhalten. Unter jedem ein kostbarer Kreis dunkler Erde mit Zedernnadeln.

Sie ließen sich unter einem Baum nieder und häuften die Jacken und Decken aufeinander, dann wickelte er den Jungen in eine Decke und machte sich daran, die toten Nadeln zu einem Haufen zusammenzuscharren. Ein Stück weit vom Stamm entfernt, sodass das Feuer den Baum nicht in Brand setzen würde, räumte er eine Stelle von Schnee frei und schaffte Holz von den anderen Bäumen heran, brach Äste ab, von denen er den Schnee abschüttelte. Als er die Flamme des Feuerzeugs an den ergiebigen Zunder hielt, prasselte das Feuer sofort auf, und er wusste, dass es nicht lange vorhalten würde. Er sah den Jungen an. Ich muss mehr Holz holen. Ich bleibe in der Umgebung. Okay?

Wo ist das, die Umgebung?

Das heißt einfach, dass ich nicht weit weggehe.

Okay.

Der Schnee lag mittlerweile fünfzehn Zentimeter hoch. Er stapfte mühsam zwischen den Bäumen hindurch und sammelte die abgefallenen Äste auf, die aus dem Schnee ragten, und als er einen Armvoll zusammenhatte und zum Feuer zurückkehrte, war es zu einem Häufchen bebender Glut heruntergebrannt. Er warf die Äste darauf und zog wieder los. Schwer, da mitzuhalten. Im Wald wurde es dunkel, und das Licht des Feuers reichte nicht weit. Wenn er sich beeilte, verausgabte er sich nur. Als er zurückblickte, schleppte sich der Junge tief gebückt durch den Schnee und sammelte Zweige, die er in seinen Armen bündelte.

Es schneite und hörte nicht auf zu schneien. Er blieb die ganze Nacht wach und stand dann und wann auf, um das Feuer wieder anzufachen. Er hatte die Plane auseinandergefaltet und sie im Schutz des Baumes an einem Ende hochgebunden, damit sie die Wärme reflektierte. Im orangefarbenen Licht betrachtete er das Gesicht des schlafenden Jungen, die eingefallenen, schwarzverschmierten Wangen. Er unterdrückte den Zorn. Sinnlos. Der Junge konnte wohl nicht mehr sehr weit gehen. Selbst wenn es zu schneien aufhörte, wäre die Straße so gut wie unpassierbar. In der Stille wisperte der Schnee herab, und die Funken stoben auf, verglommen und erstarben in der ewigen Schwärze.

Er schlief halb, als er im Wald ein Krachen hörte. Dann ein zweites. Er setzte sich auf. Das Feuer war auf vereinzelte Flämmchen in der Glut heruntergebrannt. Er lauschte. Das lange, trockene Knacken abbrechender Zweige. Dann wieder ein Krachen. Er streckte die Hand aus und schüttelte den Jungen. Wach auf, sagte er. Wir müssen gehen.

Der Junge rieb sich mit den Handrücken den Schlaf aus den Augen. Was ist denn?, fragte er. Was ist, Papa?

Komm. Wir müssen weg.

Was ist denn?

Die Bäume. Sie stürzen um.

Der Junge setzte sich auf und blickte sich verstört um.

Keine Angst, sagte der Mann. Komm. Wir müssen uns beeilen.

Er raffte das Bettzeug an sich, faltete es zusammen und wickelte die Plane darum. Er blickte auf. Der Schnee wehte ihm in die Augen. Das Feuer bestand fast nur noch aus Kohlen, die keinerlei Licht gaben, das Holz war fast aufgebraucht, und um sie herum in der Schwärze stürzten die Bäume um. Der Junge klammerte sich an ihn. Sie setzten sich in Bewegung, und er versuchte, in der Dunkelheit eine Lichtung zu finden, doch schließlich legte er die Plane auf den Boden, sie setzten sich einfach hin, zogen sich die Decken über den Kopf, und er hielt den Jungen an sich gedrückt. Die dumpfen Schläge der umstürzenden Bäume und das tiefe Wummern, mit dem die Schneelasten zerplatzten, ließen den Wald erzittern. Er hielt den Jungen fest und sagte ihm, er solle keine Angst haben, es werde bald aufhören, und nach einer Weile tat es das auch. Das dumpfe Chaos erstarb in der Ferne. Noch ein letztes Geräusch, vereinzelt und weit weg. Dann nichts mehr. Na, siehst du, sagte er. Ich denke, das war's. Unter einem umgestürzten Baum grub er eine Höhle, schaufelte mit den Armen den Schnee weg, die vor Kälte erstarrten Hände in die Innenseite seiner Ärmel verkrallt. Sie zerrten ihr Bettzeug und die Plane herein, und nach einer Weile schliefen sie trotz der bitteren Kälte wieder.

Bei Tagesanbruch schob er sich aus ihrer Höhle unter der von Schnee schweren Plane hervor. Er stand auf und blickte sich um. Es hatte zu schneien aufgehört, und die Zedern lagen in Hügeln aus Schnee, abgebrochenen Ästen und ein paar stehengebliebenen Stämmen umher, die nackt und wie verbrannt in der grau werdenden Landschaft aufragten. Er ließ den Jungen wie ein Winterschlaf haltendes Tier unter dem Baumstamm zurück und stapfte durch die Verwehungen los.

Der Schnee reichte ihm fast bis zu den Knien. Das tote Riedgras auf der Wiese war kaum mehr zu sehen, der Schnee stand in gezackten Graten auf den Zaundrähten, und die Stille war atemverschlagend. Er stand an einen Pfosten gelehnt und hustete. Er hatte wenig Ahnung, wo sich der Wagen befand, und dachte, dass er allmählich verblödete und sein Verstand nicht mehr richtig funktionierte. Konzentrier dich, sagte er. Du musst nachdenken. Als er sich umdrehte, um zurückzugehen, rief der Junge nach ihm.

Wir müssen gehen, sagte er. Hier können wir nicht bleiben.
    Der Junge starrte freudlos auf die grauen Verwehungen.
    Na komm.
    Sie stapften hinaus zum Zaun.
    Wo gehen wir hin?, fragte der Junge.
    Wir müssen den Wagen finden.
    Er stand einfach nur da, die Hände unter den Achseln seines Parkas.
    Na komm, sagte der Mann. Du musst kommen.

Er watete über die verwehten Felder. Der Schnee war tief und grau und schon von einer frischen Ascheschicht bedeckt. Er mühte sich noch ein paar Schritte weiter, dann drehte er sich um und blickte zurück. Der Junge war gestürzt. Er ließ den Armvoll Decken und die Plane fallen, eilte zurück und hob ihn auf. Er zitterte bereits. Er hob ihn auf und drückte ihn an sich. Es tut mir leid, sagte er. Es tut mir leid.

Sie brauchten lange, um den Wagen zu finden. Er hievte ihn aus den Verwehungen und stellte ihn auf die Räder, wühlte den Rucksack hervor, schüttelte ihn aus, öffnete ihn und stopfte eine von den Decken hinein. Er legte den Rucksack, die anderen Decken und die Jacketts in den Korb, hob den Jungen hoch, setzte ihn obendrauf, löste ihm die Schnürsenkel und zog ihm die Schuhe aus. Dann zückte er sein Messer und machte sich daran, eines der Jacketts zu zerschneiden und die Füße des Jungen mit den Stoffstreifen zu umwickeln. Er verwendete das ganze Jackett, dann schnitt er große Plastikvierecke aus der Plane, legte sie von unten um die Füße des Jungen und band sie mit dem Futterstoff aus den Jackettärmeln an den Knöcheln fest. Er trat einen Schritt zurück. Der Junge senkte den Blick. Jetzt du, Papa, sagte er. Er hüllte den Jungen in eines der Jacketts, dann setzte er sich im Schnee auf die Plane und umwickelte sich selbst die Füße. Er stand auf und wärmte sich die Hände in seinem Parka, dann packte er ihre Schuhe zusammen mit dem Fernglas und dem Spielzeuglastwagen in den Rucksack. Er schüttelte die Plane aus, faltete sie zusammen, befestigte sie mit den anderen Decken auf dem Rucksack, schulterte ihn und ging ein letztes Mal den Inhalt des Korbes durch, aber da war nichts mehr. Gehen wir, sagte er. Der Junge warf einen letzten Blick zurück zu dem Wagen, dann folgte er ihm zur Straße.

Das Gehen war noch beschwerlicher, als er vermutet hätte. In einer Stunde legten sie knapp zwei Kilometer zurück. Er blieb stehen und blickte sich zu dem Jungen um. Der Junge blieb stehen und wartete.

Du glaubst, wir müssen sterben, stimmt's?

Ich weiß nicht.

Wir werden nicht sterben.

Okay.

Aber du glaubst mir nicht.

Ich weiß nicht.

Warum glaubst du, wir müssen sterben?

Ich weiß nicht.

Hör auf mit diesem Ich weiß nicht.

Okay.

Warum glaubst du, wir müssen sterben?

Wir haben nichts mehr zu essen.

Wir treiben schon was auf.

Okay.

Was glaubst du, wie lange Menschen ohne Essen überleben können?

Ich weiß nicht.

Aber was glaubst du?

Vielleicht ein paar Tage.

Und was dann? Dann fällt man tot um?

Ja.

Falsch. Das dauert lange. Wir haben Wasser. Das ist das Wichtigste. Ohne Wasser überlebt man nicht sehr lange. Und Wasser haben wir.

Okay.

Aber du glaubst mir nicht.

Ich weiß nicht.

Er musterte ihn. Wie er da stand, die Hände in den Taschen des übergroßen Nadelstreifenjacketts.

Glaubst du, ich belüge dich?

Nein.

Aber was das Sterben angeht, glaubst du, dass ich vielleicht schon lüge.

Ja.

Okay. Vielleicht tue ich das ja auch. Aber wir werden nicht sterben.

Okay.

Er musterte den Himmel. Es gab Tage, an denen sich der aschfarbene Überzug lichtete, und nun warfen die Bäume an der Straße einen ganz schwachen Schatten. Sie marschierten weiter. Dem Jungen ging es nicht gut. Er blieb stehen, sah nach seinen Füßen, verknotete das Plastik neu. Wenn der Schnee zu schmelzen anfing, würde es schwierig werden, die Füße trocken zu halten. Sie ruhten oft aus. Er hatte nicht die Kraft, das Kind zu tragen. Sie setzten sich auf den Rucksack und aßen mehrere Handvoll des schmutzigen Schnees. Am Nachmittag begann er zu schmelzen. Sie kamen an einem niedergebrannten Haus vorbei, von dem bloß noch der gemauerte Schornstein stand. Sie waren den ganzen Tag unterwegs, wenn von Tag überhaupt die Rede sein konnte. So wenige Stunden. Insgesamt schafften sie vielleicht fünf Kilometer.

Er dachte, die Straße sei so schwer passierbar, dass niemand sie benutzte, aber er irrte sich. Sie kampierten knapp daneben und entzündeten ein großes Feuer, zerrten tote Äste aus dem Schnee und häuften sie auf die Flammen, wo sie zischten und dampften. Es war nicht zu ändern. Die wenigen Decken, die sie hatten, würden sie nicht warm halten. Er versuchte, wach zu bleiben. Immer wieder fuhr er aus dem Schlaf hoch und tastete mit fahrigen Bewegungen nach dem Revolver. Der Junge war so dünn. Er betrachtete ihn, während er schlief. Straffe Gesichtshaut und hohle Augen. Eine seltsame Schönheit. Er stand auf und zerrte mehr Holz aufs Feuer.

Sie gingen auf die Straße und blieben stehen. Im Schnee waren Spuren. Ein Wagen. Irgendein Gefährt mit Rädern. Nach dem schmalen Profil zu urteilen etwas mit Gummireifen. Zwischen den Rädern Stiefelabdrücke. Jemand war in der Dunkelheit Richtung Süden vorbeigekommen. Spätestens bei Anbruch der Dämmerung. War nachts unterwegs. Er überlegte, was das zu bedeuten hatte. Er schritt die Spuren ab. Die Leute waren keine zwanzig Meter vom Feuer entfernt vorbeigekommen und hatten sich gar nicht damit aufgehalten, nachzusehen. Er blickte die Straße hinauf. Der Junge sah ihm zu.

Wir müssen von der Straße runter.

Wieso, Papa?

Es kommen Leute.

Sind das Böse?

Ja. Ich fürchte schon.

Es könnten doch auch Gute sein, oder?

Er gab keine Antwort. Aus alter Gewohnheit blickte er zum Himmel auf, aber es war nichts zu sehen.

Was machen wir denn jetzt, Papa?

Gehen wir.

Können wir zum Feuer zurück?

Nein. Komm. Wir haben wahrscheinlich nicht viel Zeit.

Ich habe richtig Hunger.

Ich weiß.

Was machen wir denn jetzt?

Wir müssen uns verkriechen. Von der Straße runter.

Sehen die denn nicht unsere Spuren?

Doch.

Was können wir da machen?

Ich weiß nicht.

Werden sie wissen, was wir sind?

Was?

Wenn sie unsere Spuren sehen. Werden sie dann wissen, was wir sind?

Er blickte zurück auf ihre großen, runden Abdrücke im Schnee.

Sie werden es sich zusammenreimen, sagte er.

Dann blieb er stehen.

Wir müssen darüber nachdenken. Gehen wir zum Feuer zurück.

Er hatte daran gedacht, eine Stelle auf der Straße zu suchen, wo der Schnee vollständig weggeschmolzen war, doch dann fiel ihm ein, dass das nichts nützen würde, da ihre Spuren auf der anderen Seite nicht wiederauftauchen würden. Mit den Füßen scharrten sie Schnee auf das Feuer, dann gingen sie zwischen den Bäumen hindurch weiter, schlugen einen Kreis und kamen zurück. In aller Eile traten sie ein Gewirr von Spuren in den Schnee, dann machten sie sich durch den Wald auf den Weg zurück in Richtung Norden, wobei sie stets die Straße im Auge behielten.

Sie entschieden sich schlicht für die höchstgelegene Stelle, zu der sie kamen und von der aus sowohl die Straße in Richtung Norden als auch ihre Spur zu überblicken war. Er breitete die Plane im feuchten Schnee aus und wickelte den Jungen in die Decken. Du wirst frieren, sagte er. Aber vielleicht werden wir nicht lange hier sein. Es verging keine Stunde, und zwei Männer kamen fast im Laufschritt die Straße herunter. Als sie vorbeimarschiert waren, stand er auf, um sie zu beobachten. Und in diesem Moment blieben sie stehen, und einer blickte zurück. Er erstarrte. Er war in eine der grauen Decken gehüllt

und wahrscheinlich schwer, aber nicht unmöglich auszumachen. Vermutlich, dachte er, hatten sie den Rauch gerochen.
Sie standen da und redeten. Dann gingen sie weiter. Er setzte
sich hin. Alles okay, sagte er. Wir müssen bloß warten. Aber
ich denke, es ist alles okay.

Sie hatten seit fünf Tagen nichts mehr gegessen und nur wenig
geschlafen, und in diesem Zustand stießen sie am Rand einer
Kleinstadt auf ein einstmals hochherrschaftliches Haus, das
auf einer Erhebung neben der Straße stand. Der Junge hielt
ihn bei der Hand. Auf dem Asphalt und in den nach Süden
liegenden Wäldern und Feldern war der Schnee weitgehend
geschmolzen. Sie standen da. Die Plastikumhüllungen um
ihre Füße waren längst zerschlissen, und ihre Füße waren
nass und kalt. Das Haus war hoch und stattlich, mit weißen
dorischen Säulen entlang der Vorderfront. An der Seite eine
Wagenauffahrt. Eine kiesbestreute Zufahrt, die durch eine
Wiese von totem Gras im Bogen vor das Haus führte. Die
Fenster waren merkwürdigerweise intakt.
    Was ist das hier, Papa?
    Pst. Wir bleiben erst mal hier stehen und horchen.
    Es war nichts zu hören. Der Wind, der den toten Farn am
Straßenrand rascheln ließ. Ein fernes Knarren. Tür oder Fens-
terladen.
    Ich finde, wir sollten es uns mal ansehen.
    Papa, lass uns lieber nicht da hochgehen.
    Keine Sorge.
    Ich finde, wir sollten nicht da hochgehen.
    Keine Sorge. Wir müssen es uns ansehen.

Die Zufahrt hinauf näherten sie sich langsam. Keine Spuren in den da und dort noch vorhandenen Flecken schmelzenden Schnees. Eine hohe, tote Ligusterhecke. In ihrem dunklen Geflecht ein altes Vogelnest. Sie standen im Vorgarten und musterten die Fassade. Die Ziegel, aus denen das Haus bestand, aus der Erde handgefertigt, auf der es stand. Die abblätternde Farbe hing in langen trockenen Streifen an den Säulen und von den verzogenen Fensterstürzen herab. Über ihnen an einer langen Kette eine Lampe. Der Junge klammerte sich an ihn, während sie die Stufen hinaufstiegen. Eines der Fenster stand einen Spalt weit offen, und von ihm zur Veranda verlief eine Schnur, die im Gras verschwand. Er hielt den Jungen bei der Hand, und sie überquerten die Veranda. Über diese Bretter waren einmal Sklaven gegangen, in den Händen silberne Tabletts mit Speisen und Getränken. Sie gingen zum Fenster und schauten hinein.

Und wenn jemand da ist, Papa?

Es ist niemand da.

Wir gehen lieber, Papa.

Wir müssen etwas zu essen finden. Wir haben keine Wahl

Wir könnten woanders was finden.

Das klappt schon. Na komm.

Er zog den Revolver aus dem Gürtel und drehte den Türknauf. An ihren großen Messingangeln schwang die Tür langsam nach innen auf. Sie standen da und lauschten. Dann traten sie in ein geräumiges Foyer, dessen Boden ein Karomuster aus schwarzen und weißen Marmorfliesen zierte. Eine breite, nach oben führende Treppe. An den Wänden schöne Morris-Tapete, wasserfleckig und durchhängend. Die Stuckdecke wies großflächige Ausbauchungen auf, und die vergilbte

Zahnschnittleiste an der Oberkante der Wände war krumm und stellenweise abgeplatzt. Links hinter einem Durchgang, in einem Zimmer, das wohl einmal das Esszimmer gewesen war, stand ein großes Buffet aus Walnussholz. Türen und Schubladen waren verschwunden, aber der Rest war zu groß, als dass man ihn hätte verbrennen können. Sie standen in dem Durchgang. In einer Ecke des Zimmers türmte sich ein großer Haufen Kleider. Kleidungsstücke und Schuhe. Gürtel. Jacken. Decken und alte Schlafsäcke. Er würde später reichlich Zeit haben, darüber nachzudenken. Der Junge klammerte sich an seiner Hand fest. Er war völlig verängstigt. Sie gingen durch das Foyer zu dem Raum auf der anderen Seite, betraten ihn und blieben stehen. Ein großer Saal, die Decke doppelt so hoch wie die Türen. Ein Kamin, an dem die nackten Ziegelsteine bloßlagen, wo man den hölzernen Kaminsims und die Einfassung abgestemmt und verbrannt hatte. Auf dem Boden vor der Kaminöffnung lagen Matratzen und Bettzeug. Papa, flüsterte der Junge. Pst, sagte er.

Die Asche war kalt. Ein paar geschwärzte Töpfe standen herum. Er ging in die Hocke, nahm einen in die Hand, roch daran und stellte ihn zurück. Er stand auf und schaute aus dem Fenster. Graues, niedergetrampeltes Gras. Grauer Schnee. Die Kordel, die durch das Fenster kam, war an einer Messingglocke festgeknotet, und die Glocke war in einer primitiven Spannvorrichtung aus Holz befestigt, die man an den Fenstersturz genagelt hatte. Er hielt den Jungen bei der Hand, und sie gingen einen schmalen Flur entlang in die Küche. Überall Müllhaufen. Eine rostfleckige Spüle. Geruch nach Schimmel und Exkrementen. Sie gingen weiter in den angrenzenden kleinen Raum, vielleicht eine Speisekammer.

In den Boden dieses Raums war eine Tür oder Luke eingelassen, die mit einem großen, aus geschichteten Stahlplatten bestehenden Vorhängeschloss gesichert war.

Papa, sagte der Junge. Wir gehen lieber. Papa.

Es gibt einen Grund dafür, warum das hier verschlossen ist.

Der Junge zog an seiner Hand. Er war den Tränen nahe. Papa?, sagte er.

Wir müssen essen.

Ich habe keinen Hunger, Papa. Ich habe keinen Hunger.

Wir müssen ein Stemmeisen oder so was finden.

Sie schoben sich zur Hintertür hinaus, der Junge an ihn geklammert. Er steckte sich den Revolver in den Gürtel und ließ den Blick durch den Garten wandern. Es gab einen mit Ziegelsteinen befestigen Pfad und eine verkrümmte, drahtknäuelartige Form, die einmal eine Buchsbaumhecke gewesen war. Im Garten selbst befand sich eine alte, auf Pfeilern aus gestapelten Ziegelsteinen aufgebockte Egge, und irgendwer hatte zwischen die Stangen des Rahmens einen zweihundert Liter fassenden, gusseisernen Kessel von der Art gezwängt, wie man sie früher verwendet hatte, um Schweinefett auszulassen. Darunter waren die Asche eines Feuers und geschwärzte Holzscheite. An einer Seite, etwas entfernt, ein kleiner Wagen mit Gummireifen. Das alles sah er, ohne es richtig wahrzunehmen. Am hinteren Ende des Gartens standen ein altes Räucherhaus aus Holz und ein Werkzeugschuppen. Das Kind mit sich zerrend, ging er hinüber und machte sich daran, die Werkzeuge durchzusehen, die in einem Fass unter dem Schuppendach standen. Er fand einen langstieligen Spaten und wog ihn in der Hand. Komm mit, sagte er.

Ins Haus zurückgekehrt, hackte er auf das Holz um die Schließbandbefestigung ein, zwängte schließlich das Spatenblatt darunter und stemmte sie ab. Sie war mit Durchsteckschrauben am Holz befestigt, sodass sich die ganze Konstruktion samt Schloss löste. Er stieß das Spatenblatt unter die Kante der Luke, hielt inne und holte sein Feuerzeug aus der Tasche. Dann stellte er sich auf den Griffzapfen des Spatens, hob die Luke an, beugte sich vor und packte sie mit der Hand.

Papa, flüsterte der Junge.

Er hielt inne. Hör mir zu, sagte er. Lass das. Wir sind am Verhungern. Verstehst du? Dann hob er die Luke an, klappte sie nach hinten und legte sie auf den Boden.

Warte einfach hier, sagte er.

Ich gehe mit dir.

Ich dachte, du hast Angst.

Habe ich auch.

Okay. Bleib einfach dicht hinter mir.

Er ging ein paar Stufen der primitiven Holztreppe hinunter. Er zog den Kopf ein, zündete dann das Feuerzeug an und schwang die Flamme wie eine Opfergabe in die Dunkelheit hinaus. Kälte und Feuchtigkeit. Ein fürchterlicher Gestank. Der Junge klammerte sich an seiner Jacke fest. Er konnte ein Stück von einer Steinmauer sehen. Gestampfter Lehmboden. Eine alte, dunkel verfleckte Matratze. Er duckte sich, machte noch ein paar Schritte hinunter und hielt das Feuerzeug vor sich. An der hinteren Wand kauerten nackte Menschen, Männer und Frauen, die sich allesamt zu verstecken versuchten und mit den Händen die Gesichter beschirmten. Auf der Matratze lag ein Mann, dem beide Beine fehlten, und die Stümpfe waren geschwärzt und verbrannt. Der Geruch war entsetzlich.

Mein Gott, flüsterte er.

Dann drehte sich einer nach dem anderen um und blinzelte in das erbärmliche Licht. Hilf uns, flüsterten sie. Bitte, hilf uns.

Mein Gott, sagte er. O mein Gott.

Er drehte sich um und packte den Jungen. Beeil dich, sagte er. Beeil dich.

Er hatte das Feuerzeug fallen lassen. Keine Zeit, es zu suchen. Er schob den Jungen die Treppe hinauf. Hilf uns, riefen sie.

Beeil dich.

Ein bärtiges Gesicht erschien blinzelnd am Fuß der Treppe. Bitte, rief der Mann. Bitte.

Beeil dich. Um Gottes willen, beeil dich.

Er stieß den Jungen durch die Lukenöffnung, sodass er lang hinschlug. Er packte die Luke, klappte sie herum, ließ sie herunterkrachen, drehte sich um und wollte den Jungen packen, doch der hatte sich aufgerappelt und vollführte seinen Schreckenstanz. Herr des Himmels, kommst du jetzt endlich. Doch der Junge zeigte aus dem Fenster, und als er hinsah, wurde ihm am ganzen Leib kalt. Vier bärtige Männer und zwei Frauen kamen über die Wiese auf das Haus zu. Er packte den Jungen bei der Hand. Mein Gott, sagte er. Lauf. Lauf.

Sie stürzten durch das Haus zur Vordertür und die Eingangstreppe hinunter. Ein Stück weit die Zufahrt hinab zog er den Jungen auf die Wiese. Er blickte zurück. Sie wurden durch die Überreste der Ligusterhecke teilweise verdeckt, aber er wusste, dass ihnen allenfalls Minuten und vielleicht nicht einmal das blieben. Am Ende der Wiese brachen sie durch ein totes Rohrdickicht hinaus auf die Straße und weiter in den

Wald auf der anderen Seite. Er verstärkte seinen Griff um das Handgelenk des Jungen. Lauf, flüsterte er. Wir müssen laufen. Er blickte zum Haus hinüber, konnte aber nichts erkennen. Wenn sie die Zufahrt herunterkamen, würden sie ihn mit dem Jungen zwischen den Bäumen hindurchlaufen sehen. Jetzt ist es so weit. Jetzt ist es so weit. Er stürzte zu Boden und zog den Jungen an sich. Pst, sagte er. Pst.

Werden sie uns umbringen? Papa?

Pst.

Mit hämmerndem Herzen lagen sie im Laub und in der Asche. Er verspürte einen Hustenreiz. Er hätte sich die Hand vor den Mund gehalten, aber die hielt der Junge fest, der sie um keinen Preis loslassen wollte, und in der anderen Hand hielt er den Revolver. Um das Husten zu unterdrücken, musste er sich konzentrieren, und zugleich versuchte er zu lauschen. Er schob das Kinn durch das Laub, versuchte, etwas zu erkennen. Halt den Kopf unten, flüsterte er.

Kommen sie?

Nein.

Langsam robbten sie durch das Laub auf vermeintlich tiefer gelegenes Gelände zu. Er lag da und lauschte, hielt den Jungen an sich gedrückt. Er konnte sie auf der Straße reden hören. Die Stimme einer Frau. Dann hörte er sie im trockenen Laub. Er nahm die Hand des Jungen und legte den Revolver hinein. Nimm ihn, flüsterte er. Nimm ihn. Der Junge hatte schreckliche Angst. Er legte einen Arm um ihn und hielt ihn fest. Sein Körper ganz dünn. Hab keine Angst, sagte er. Wenn sie dich finden, musst du es tun. Verstehst du? Pst. Nicht weinen. Verstehst du mich? Du weißt, wie es geht. Du steckst ihn in den Mund und richtest ihn nach oben. Mach es schnell und energisch. Verstehst du? Hör auf zu weinen. Verstehst du?

Ich glaube schon.

Nein. Verstehst du?

Ja.

Sag ja, ich verstehe es, Papa.

Ja, ich verstehe es, Papa.

Er blickte auf ihn hinab. Alles, was er sah, war Entsetzen. Er nahm ihm den Revolver ab. Nein, du verstehst es nicht, sagte er.

Ich weiß nicht, was ich machen soll, Papa. Ich weiß nicht, was ich machen soll. Wo wirst du denn dann sein?

Schon gut.

Ich weiß nicht, was ich machen soll.

Pst. Ich bin ja da. Ich lasse dich nicht allein.

Versprich es.

Ja. Ich verspreche es. Ich wollte loslaufen. Versuchen, sie von hier wegzulocken. Aber ich kann dich nicht allein lassen.

Papa?

Pst. Bleib unten.

Ich habe solche Angst.

Pst.

Sie lagen da und lauschten. Bringst du es fertig? Wenn es so weit ist. Wenn es so weit ist, wird keine Zeit sein. Jetzt ist Zeit. Verfluche Gott und stirb. Und wenn der Revolver nicht funktioniert? Er muss funktionieren. Wenn er aber nicht funktioniert? Könntest du diesem geliebten Menschen mit einem Stein den Schädel einschlagen? Steckt in dir ein solches

Wesen, von dem du nichts weißt? Kann das sein? Halte ihn in den Armen. Genau so. Die Seele ist schnell. Zieh ihn an dich. Küss ihn. Schnell.

Er wartete. Der kleine vernickelte Revolver in seiner Hand. Er verspürte einen Hustenreiz. Er richtete seine ganze Konzentration darauf, ihn zu unterdrücken. Er versuchte zu lauschen, konnte aber nichts hören. Ich lasse dich nicht allein, flüsterte er. Ich werde dich nie allein lassen. Verstehst du? Das zitternde Kind in den Armen, lag er im Laub. Hielt den Revolver umklammert. Die ganze lange Dämmerung hindurch bis in die Dunkelheit hinein. Kalt und sternenlos. Unschätzbar. Allmählich glaubte er, dass sie eine Chance hatten. Wir müssen einfach warten, flüsterte er. So kalt. Er versuchte nachzudenken, aber sein Verstand schwamm. Er war so schwach. Dieses ganze Gerede von wegen weglaufen. Er konnte nicht laufen. Als es um ihn herum völlig schwarz war, löste er die Riemen am Rucksack, zog die Decken heraus und breitete sie über den Jungen, der bald darauf einschlief.

In der Nacht hörte er vom Haus her grässliche Schreie und hielt dem Jungen die Ohren zu, und nach einer Weile verstummte das Geschrei. Er lag da und lauschte. Als sie durch das Rohrdickicht auf die Straße gekommen waren, hatte er einen Kasten gesehen. So etwas wie das Spielhaus eines Kindes. Ihm wurde klar, dass sie von dort aus die Straße beobachteten. Auf der Lauer lagen und die Glocke im Haus läuteten, um ihre Komplizen herbeizurufen. Er döste ein und wachte auf. Was kommt da? Schritte im Laub. Nein. Bloß der Wind. Nichts. Er setzte sich auf und blickte in Richtung Haus, konnte aber nur

Dunkelheit sehen. Er rüttelte den Jungen wach. Komm, sagte er. Wir müssen gehen. Der Junge gab keine Antwort, aber der Mann wusste, dass er wach war. Er zog ihm die Decken weg und schnallte sie am Rucksack fest. Komm, flüsterte er.

Sie machten sich auf den Weg durch den dunklen Wald. Irgendwo hinter dem aschenen Schleier war ein Mond, und sie konnten die Bäume gerade noch ausmachen. Wie Betrunkene wankten sie weiter. Wenn sie uns finden, bringen sie uns um, stimmt's, Papa?
　　Pst. Nicht mehr reden.
　　Stimmt's Papa?
　　Pst. Ja. Ja, es stimmt.

Er hatte keine Ahnung, welche Richtung sie eingeschlagen hatten, und befürchtete, sie könnten im Kreis gehen und zum Haus zurückkehren. Er versuchte, sich zu erinnern, ob er irgendetwas darüber wusste oder ob es sich lediglich um ein Märchen handelte. In welche Richtung kamen Verirrte ab? Vielleicht richtete sich das nach der jeweiligen Hemisphäre. Oder nach Links- oder Rechtshändigkeit. Schließlich verbannte er es aus seinen Gedanken. Die Vorstellung, es gebe eine Abweichung, die man ausgleichen müsse. Sein Verstand spielte ihm Streiche. Gespenster, von denen man tausend Jahre lang nichts gehört hatte, erwachten langsam aus dem Schlaf. Versuch mal, das auszugleichen. Der Junge torkelte. Stolpernd und nuschelnd bat er darum, getragen zu werden, und der Mann trug ihn, und er schlief sofort an seiner Schulter ein. Er wusste, dass er ihn nicht weit tragen konnte.

Er erwachte im Dunkel des Waldes im Laub und zitterte heftig. Er setzte sich auf und tastete nach dem Jungen. Er legte die Hand auf die dünnen Rippen. Wärme und Bewegung. Herzschlag.

Als er erneut aufwachte, war es fast hell genug, um etwas zu sehen. Er warf die Decke zurück, stand auf und fiel beinahe hin. Er fand sein Gleichgewicht und versuchte, in dem grauen Wald um ihn herum etwas zu erkennen. Wie weit waren sie gekommen? Er erstieg eine kleine Erhebung, ging in die Hocke und sah zu, wie es Tag wurde. Die sparsame Dämmerung, die kalte, lichtlose Welt. In der Ferne etwas, das wie ein Kiefernwald aussah, nackt und schwarz. Eine farblose Welt aus Draht und Krepp. Er kehrte zu dem Jungen zurück und ließ ihn sich aufsetzen. Sein Kopf kippte immer wieder nach vorn. Wir müssen gehen, sagte er. Wir müssen gehen.

Er trug ihn über die Wiese und blieb jedes Mal, wenn er fünfzig Schritte abgezählt hatte, stehen, um sich auszuruhen. Bei den Kiefern angelangt, kniete er nieder, legte ihn auf die sandige Nadelschicht, deckte ihn mit den Decken zu, saß da und betrachtete ihn. Er sah aus wie ein Geschöpf aus einem Todeslager. Ausgehungert, erschöpft, krank vor Angst. Er beugte sich vor, gab ihm einen Kuss, stand auf, ging zum Rand des Waldes und schritt dann einen großen Kreis ab, um festzustellen, ob sie sicher waren.

Im Süden, auf der anderen Seite der Wiesen, konnte er den Umriss eines Hauses und einer Scheune sehen. Jenseits der Bäume die Biegung einer Straße. Eine lange Zufahrt mit totem Gras. Toter Efeu entlang einer Steinmauer, ein Briefkasten, entlang der Straße ein Zaun und dahinter die toten Bäume. Kalt und still. In den grauschwarzen Nebel gehüllt. Er ging zurück und setzte sich neben den Jungen. Es war Verzweiflung gewesen, was ihn so unvorsichtig gemacht hatte, und er wusste, dass er das nicht noch einmal tun durfte. Unter keinen Umständen.

Der Junge würde stundenlang nicht aufwachen. Doch wenn, wäre er außer sich vor Angst. Das war schon einmal passiert. Er überlegte, ob er ihn wecken sollte, wusste jedoch, dass er sich an nichts erinnern würde, wenn er es täte. Er hatte ihm beigebracht, wie ein Kitz im Wald zu liegen. Für wie lange? Am Ende zog er den Revolver aus dem Gürtel, legte ihn unter den Decken neben den Jungen, stand auf und machte sich auf den Weg.

Er näherte sich der Scheune von dem danebenliegenden Hügel aus, auf dem er stehen blieb, um zu beobachten und zu lauschen. Der Weg nach unten führte durch die Überreste eines alten Apfelgartens, schwarze, knotige Stümpfe, totes, bis zu den Knien reichendes Gras. Im Scheunentor blieb er stehen und lauschte. Fahles, geschlitztes Licht. Er ging an den staubigen Boxen entlang. In der Mitte der Banse blieb er stehen und lauschte, aber es war nichts zu hören. Er stieg die Leiter zum Heuboden hinauf und war sich angesichts seiner Schwäche nicht sicher, ob er es bis nach oben schaffen würde. Er ging bis

ans Ende des Heubodens und blickte durch das hohe Giebelfenster hinaus auf die Landschaft darunter, das parzellierte,
tote und graue Land, den Zaun, die Straße.

Auf dem Boden lagen Heuballen, und er ging in die Hocke,
las eine Handvoll Samen aus und kaute sie. Hart, trocken und
staubig. Irgendeinen Nährwert mussten sie haben. Er stand
auf, wälzte zwei Ballen über den Boden und ließ sie in die
Banse fallen. Zwei dumpfe Schläge, staubig. Er ging zum Gie-
bel zurück und musterte, was er jenseits der Scheunenecke
vom Haus sehen konnte. Dann kletterte er die Leiter wieder
hinunter.

Das Gras zwischen Haus und Scheune sah unberührt aus.
Er ging zur Veranda hinüber. Die Fliegengitter bis zum Zer-
bröckeln verrottet. Ein Kinderfahrrad. Die Küchentür stand
offen, und er überquerte die Veranda und blieb in der Tür
stehen. Billige, von Feuchtigkeit verzogene Sperrholzver-
täfelung. Teils von der Wand abgefallen. Ein Tisch mit roter
Resopalplatte. Er öffnete die Kühlschranktür. In einem der
Fächer lag etwas, das einen Überzug aus grauem Pelz trug. Er
schloss die Tür wieder. Überall Müll. Er holte einen Besen aus
der Ecke und stocherte mit dem Stiel darin herum. Er kletterte
auf die Arbeitsplatte und tastete sich durch den Staub auf den
Oberschränken. Eine Mausefalle. Ein Päckchen mit irgendetwas. Er pustete den Staub weg. Es war ein Getränkepulver
mit Traubengeschmack. Er steckte es in seine Jackentasche.

Er durchsuchte das Haus Zimmer für Zimmer. Er fand nichts. In der Schublade eines Nachtschränkchens ein Löffel. Er steckte ihn ein. Er dachte, es könnte in einem Schrank vielleicht ein paar Kleidungsstücke oder Bettzeug geben, aber das war nicht der Fall. Er ging hinaus und zur Garage hinüber, sah Geräte durch. Rechen. Eine Schaufel. Auf einem Bord Büchsen mit Nägeln und Schrauben. Ein Teppichmesser. Er hielt es ans Licht, betrachtete die rostige Klinge und legte es zurück. Dann griff er erneut danach. Aus einer alten Kaffeedose nahm er einen Schraubenzieher und öffnete den Griff des Messers. Darin waren vier neue Klingen. Er nahm die alte Klinge heraus, legte sie auf das Bord, setzte eine von den neuen ein, schraubte den Griff wieder zu, fuhr die Klinge zurück und steckte das Messer ein. Dann griff er nach dem Schraubenzieher und steckte auch ihn ein.

Er ging zurück zur Scheune. Er hatte ein Stück Tuch dabei, in dem er Samen aus den Heuballen sammeln wollte, doch bei der Scheune angelangt, blieb er stehen und lauschte dem Wind. Irgendwo hoch auf dem Dach über ihm ein Quietschen von Blech. In der Scheune hing noch ein Duft von Kühen, und beim Gedanken an Kühe ging ihm auf, dass sie ausgestorben waren. Stimmte das wirklich? Irgendwo könnte es doch noch eine Kuh geben, die gefüttert und versorgt wurde. War das wirklich möglich? Womit gefüttert? Wofür am Leben gehalten? Vor dem offenen Tor raschelte das tote Gras trocken im Wind. Er ging hinaus und schaute über die Felder zu dem Kiefernwald hinüber, wo der Junge schlief. Er ging den Obstgarten hinauf und blieb dann erneut stehen. Er war auf etwas getreten. Er machte einen Schritt zurück, kniete sich hin und teilte mit den Händen das Gras. Es war ein Apfel. Er hob ihn auf und hielt ihn ans Licht. Hart, braun und verschrumpelt. Er wischte ihn mit dem Tuch ab und biss hinein. Trocken und fast geschmacklos. Aber ein Apfel. Er aß ihn vollständig, samt Kerngehäuse. Er hielt den Stiel zwischen Daumen und Zeigefinger und ließ ihn fallen. Dann ging er mit vorsichtigen Schritten durch das Gras. Seine Füße waren noch immer mit den Überresten des Jacketts und den Plastikfetzen umwickelt, und er setzte sich hin, löste die Umwickelungen, stopfte sie sich in die Tasche und ging barfuß die Baumreihen entlang. Am anderen Ende des Obstgartens angelangt, hatte er vier weitere Äpfel gefunden, steckte sie ein und kam zurück. Er ging Reihe für Reihe ab, bis er ein Puzzle ins Gras getreten hatte. Er hatte mehr Äpfel gefunden, als er tragen konnte. Er durchstöberte das Gras um die Stämme herum, füllte sich die Taschen, häufte Äpfel in die Kapuze seines Parkas und stapelte sie zum Tragen auf seinem an die Brust gedrückten Unterarm. Am Scheunentor lud er sie ab, dann setzte er sich hin und wickelte sich die gefühllosen Füße.

Im Vorraum vor der Küche hatte er einen alten Weidenkorb voller Einweckgläser gesehen. Er stellte den Korb auf den Boden, nahm die Gläser heraus, stülpte ihn um und klopfte den Schmutz heraus. Dann hielt er inne. Was hatte er gesehen? Ein Abflussrohr. Ein Spalier. Die dunkle Serpentine einer toten Weinrebe, die daran herablief wie die Ertragskurve irgendeines Unternehmens. Er stand auf, ging durch die Küche zurück in den Garten und betrachtete das Haus. Die Fenster spiegelten den grauen, namenlosen Tag. Das Abflussrohr lief an der Verandaecke hinab. Er hatte den Korb noch in der Hand, stellte ihn nun im Gras ab und stieg die Verandatreppe hinauf. Das Rohr verlief am Eckpfosten entlang in einen Be-

tonbehälter. Er wischte den Abfall und die verrotteten Flie-
gengitterstücke vom Behälterdeckel, holte den Besen aus der
Küche, fegte den Deckel sauber, stellte den Besen in die Ecke
und nahm den Deckel vom Behälter. Drinnen befand sich ein
Fangkorb mit nassem grauem Schlamm vom Dach, gemischt
mit einem Kompost aus totem Laub und Zweigen. Er hob
den Fangkorb heraus und stellte ihn auf den Boden. Darunter
war weißer Kies. Er scharrte den Kies mit der Hand zurück.
Der Behälter darunter war gefüllt mit Holzkohle, aus ganzen
Ästen und Zweigen gebrannten Stücken, grauschwarzen Abbildern der Bäume selbst. Er setzte den Fangkorb wieder ein.
In den Boden war ein Ring aus Messing eingelassen. Er griff
nach dem Besen und fegte die Asche weg. In den Dielen waren
Sägefugen zu erkennen. Er fegte die Dielen sauber, kniete sich
hin, hakte die Finger in den Ring, hob die Falltür und klappte
sie zurück. Dort unten in der Dunkelheit befand sich eine Zisterne, gefüllt mit Wasser, das so frisch war, dass er es riechen
konnte. Er legte sich auf den Bauch und langte nach unten. Er
konnte das Wasser gerade berühren. Er schob sich ein Stück
nach vorn, langte abermals nach unten, schöpfte eine Handvoll auf, roch daran, kostete und trank schließlich. Er lag lange
Zeit dort und führte, immer eine Handvoll auf einmal, das
Wasser zum Mund. In seiner Erinnerung fand sich nichts,
was je so gut gewesen wäre.

Aus dem Küchenvorraum holte er zwei Einweckgläser und
einen alten blauen Emailletopf. Er wischte den Topf aus und
füllte ihn durch Eintauchen mit Wasser, das er dazu benutzte, die Gläser zu reinigen. Dann langte er mit einem der
Gläser nach unten, tauchte es ein, bis es voll war und holte
es tropfend herauf. Das Wasser war ganz klar. Er hielt es ans

Licht. Ein einzelner Sedimentfaden, der sich langsam um irgendeine hydraulische Achse drehte. Er neigte das Glas und trank, trank langsam, leerte das Glas jedoch fast vollständig. Mit aufgeblähtem Bauch saß er da. Er hätte noch mehr trinken können, tat es aber nicht. Er goss das restliche Wasser in das andere Glas, spülte es aus, füllte beide Gläser, schloss dann die Falltür über der Zisterne, stand auf und machte sich, die Taschen voller Äpfel und in den Händen die Gläser mit Wasser, auf den Weg über die Felder zu dem Kiefernwald.

Er war länger weggeblieben, als er vorgehabt hatte, und beeilte sich nach Kräften, sodass das Wasser im geschrumpften Beutel seines Magens schwappte und gurgelte. Er blieb stehen, um sich auszuruhen, und setzte sich wieder in Bewegung. Als er beim Wald anlangte, machte der Junge den Eindruck, als hätte er sich gar nicht gerührt, und er kniete sich hin, stellte die Gläser vorsichtig auf das Nadelbett, steckte sich den Revolver wieder in den Gürtel und saß dann einfach nur da und betrachtete den Jungen.

Den Nachmittag verbrachten sie damit, in die Decken gehüllt Äpfel zu essen. Das Wasser aus den Gläsern zu trinken. Er nahm das Päckchen mit dem Getränkepulver aus der Tasche, öffnete es, goss es in das Glas, rührte um und gab es dem Jungen. Das hast du gut gemacht, Papa, sagte er. Er schlief, während der Junge Wache hielt, und am Abend nahmen sie ihre Schuhe aus dem Rucksack, zogen sie an, gingen zum Farmhaus hinunter und holten die restlichen Äpfel. Sie füllten drei Gläser mit Wasser und schraubten die zweiteiligen Deckel auf, die er in einer Schachtel auf einem Bord im Küchenvorraum gefunden hatte. Dann wickelte er alles in eine der Decken, packte es in den Rucksack, schnallte die anderen Decken am Rucksack fest und schulterte ihn. In der Tür stehend, sahen sie zu, wie im Westen das Licht über der Welt schwand. Dann gingen sie die Zufahrt hinunter und machten sich wieder auf den Weg die Straße entlang.

Der Junge klammerte sich an seiner Jacke fest, und er hielt sich am Straßenrand und versuchte, im Dunkel das Pflaster unter seinen Füßen zu ertasten. In der Ferne konnte er Donner hören, und nach einer Weile war vor ihnen ein trübes Wetterleuchten zu sehen. Er holte das Stück Plastikplane aus dem Rucksack, aber es war kaum mehr genug da, um sie beide zu bedecken. Nebeneinander stolperten sie dahin. Es gab nichts, wo sie hinkonnten. Sie hatten die Kapuzen ihrer Jacken aufgesetzt, aber die Jacken wurden nass und schwer vom Regen. Er blieb auf der Straße stehen und versuchte, die Plane zurechtzuziehen. Der Junge zitterte heftig.

Du frierst, nicht wahr?

Ja.

Wenn wir stehen bleiben, wird uns richtig kalt.

Mir ist jetzt schon richtig kalt.

Was willst du tun?

Können wir haltmachen?

Ja. Okay. Wir können haltmachen.

Es war von einer Unzahl solcher Nächte die längste, an die er sich erinnern konnte. Sie lagen am Straßenrand auf dem feuchten Boden unter den Decken, der Regen prasselte auf die Plane, er hielt den Jungen in den Armen, und nach einer Weile hörte der Junge zu zittern auf und schlief etwas später ein. Der Donner verzog sich in Richtung Norden und verstummte, und dann regnete es nur noch. Er schlief ein und erwachte, der Regen ließ nach und hörte nach einer Weile auf. Er fragte sich, ob es überhaupt schon Mitternacht war. Er hustete, der Husten wurde schlimmer und weckte das Kind. Es dauerte lange, bis die Morgendämmerung kam. Von Zeit zu Zeit stand er auf, um nach Osten zu blicken, und nach einer Weile war es Tag.

Er schlang nacheinander ihre Jacken um den Stamm eines kleinen Baumes und wrang das Wasser aus. Er ließ den Jungen sich ausziehen und wickelte ihn in eine der Decken, und während er zitternd dastand, wrang er das Wasser aus seinen Kleidern und gab sie ihm wieder. Wo sie geschlafen hatten, war der Boden trocken, und dort saßen sie, die Decken um sich gelegt, aßen Äpfel und tranken Wasser. Dann machten sie sich wieder auf den Weg, gebeugt, die Kapuzen übergezogen und in ihren Lumpen zitternd wie Bettelmönche, die man ausgeschickt hatte, sich ihren Unterhalt zu suchen.

Bis zum Abend waren sie wenigstens trocken. Sie studierten die Kartenblätter, aber er hatte kaum eine Vorstellung davon, wo sie sich befanden. Er stand auf einer Erhebung der Straße und versuchte, sich im Zwielicht zu orientieren. Sie verließen die Schnellstraße und nahmen eine schmale Straße über Land, gelangten schließlich zu einer Brücke mit einem trockenen Flussbett, kletterten die Uferböschung hinunter und kauerten sich darunter.

Können wir ein Feuer machen?, fragte der Junge.

Wir haben kein Feuerzeug mehr.

Der Junge wandte den Blick ab.

Tut mir leid. Ich habe es fallen lassen. Ich wollte es dir nicht sagen.

Ist schon gut.

Ich suche uns Feuerstein. Ich halte schon die ganze Zeit die Augen danach offen. Und wir haben noch die kleine Flasche Benzin.

Okay.

Ist dir sehr kalt?

Ist schon okay.

Der Junge hatte den Kopf in den Schoß des Mannes gebettet. Nach einer Weile sagte er: Die werden diese Leute umbringen, stimmt's?

Ja.

Warum machen sie das?

Ich weiß nicht.

Werden sie sie essen?

Ich weiß nicht.

Sie werden sie essen, stimmt's?

Ja.

Und wir konnten ihnen nicht helfen, weil sie uns sonst auch essen.

Ja.

Deswegen konnten wir ihnen nicht helfen.

Ja.

Okay.

Sie kamen durch Kleinstädte mit auf Reklametafeln gekritzelten Warnungen, die Leute fernhalten sollten. Die Reklametafeln waren mit einer dünnen weißen Farbschicht überstrichen, damit man darauf schreiben konnte, und durch die Farbe konnte man ein blasses Palimpsest von Werbung für Güter erkennen, die es nicht mehr gab. Sie saßen am Straßenrand und aßen die letzten Äpfel.

Was ist denn?, fragte der Mann.

Nichts.

Wir finden schon was zu essen. Keine Sorge.

Der Junge gab keine Antwort. Der Mann musterte ihn.

Das ist es nicht, oder?

Ist schon gut.

Sag's mir.

Der Junge wandte den Blick ab, schaute die Straße hinunter.

Ich möchte, dass du es mir sagst. Es ist okay.

Er schüttelte den Kopf.

Sieh mich an, sagte der Mann.

Er wandte sich ihm zu und sah ihn an. Er sah aus, als hätte er geweint.

Sag's mir einfach.

Wir würden nie jemanden essen, oder?

Nein. Natürlich nicht.

Auch wenn wir hungern?

Das tun wir doch gerade.

Du hast gesagt, das würden wir nicht.

Ich habe gesagt, wir würden nicht sterben. Ich habe nicht gesagt, wir würden nicht hungern.

Aber wir würden es trotzdem nicht tun.

Nein.

Ganz gleich, was passiert.

Nein. Ganz gleich, was passiert.

Weil wir die Guten sind.

Ja.

Und wir bewahren das Feuer.
Und wir bewahren das Feuer. Ja. Okay.

In einem Graben fand er Stücke von Feuer- und Kieselsäure-stein, doch am Ende war es einfacher, mit der Zange von oben nach unten an einem Steinblock entlangzuschrappen, an dessen Fuß er ein in Benzin getränktes Häufchen Zunder gelegt hatte. Zwei weitere Tage. Dann drei. Sie hungerten er-bärmlich. Das Land war geplündert, kahl gefressen, verheert. Jeder Krume beraubt. Die Nächte waren entsetzlich kalt und sargschwarz, und die lange Spanne des Morgens hatte etwas fürchterlich Stilles. Wie die Dämmerung vor einer Schlacht. Die wächserne Haut des Jungen war fast durchscheinend. Mit seinen großen, starren Augen wirkte er wie ein außerirdisches Wesen.

Er glaubte allmählich, dass der Tod nun doch nahe war und dass sie sich ein Versteck suchen sollten, wo man sie nicht fin-den würde. Es gab Zeiten, da fing er hemmungslos zu schluch-zen an, wenn er den schlafenden Jungen betrachtete, aber das hatte nichts mit dem Tod zu tun. Er wusste nicht recht, womit es zu tun hatte, glaubte aber, es habe mit Schönheit oder mit Güte zu tun. Dinge, über die er gar nicht mehr nachzudenken vermochte. Sie hockten in einem öden Wald und tranken Gra-benwasser, das sie durch ein Tuch geseiht hatten. Im Traum hatte er den Jungen auf einem Aufbahrungsbrett liegen sehen und war voller Grauen aufgewacht. Was er am hellichten Tag ertragen konnte, war ihm nachts unerträglich, und so blieb er wach, aus Angst, der Traum könnte wiederkehren.

Sie durchwühlten die verkohlten Ruinen von Häusern, die sie früher nicht betreten hätten. Eine im schwarzen Wasser eines Kellers zwischen Müll und rostenden Rohren treibende Leiche. Er stand in einem teilweise verbrannten, zum Himmel hin offenen Wohnzimmer. Die vom Wasser verzogenen Dielen zum Garten hin abfallend. Vollgesogene Bücher in einem Regal. Er nahm eines heraus, schlug es auf und stellte es zurück. Alles feucht. Verrottend. In einer Schublade fand er eine Kerze. Keine Möglichkeit, sie anzuzünden. Er steckte sie ein. Im grauen Licht ging er hinaus, blieb stehen und erkannte einen Moment lang die absolute Wahrheit der Welt. Das kalte, unerbittliche Kreisen der hinterlassenschaftslosen Erde. Erbarmungslose Dunkelheit. Die blinden Hunde der Sonne in ihrem Lauf. Das alles vernichtende schwarze Vakuum des Universums. Und irgendwo zwei gehetzte Tiere, die zitterten wie Füchse in ihrem Bau. Geliehene Zeit, geliehene Welt und geliehene Augen, um sie zu betrauern.

Am Rande einer Kleinstadt saßen sie, um auszuruhen, in der Fahrerkabine eines Lastwagens und starrten durch eine von den jüngsten Regenfällen saubergewaschene Windschutzscheibe. Leichter Aschenflug. Erschöpft. Am Straßenrand stand ein weiteres Schild, das vor dem Tod warnte, die Buchstaben im Lauf der Jahre verblasst. Er lächelte beinahe. Kannst du das lesen?, fragte er.

Ja.

Achte nicht darauf. Hier ist niemand.

Sind die alle tot?

Ich glaube schon.

Ich wünschte, der kleine Junge wäre bei uns.

Gehen wir, sagte er.

Inzwischen üppige Träume, aus denen er nur widerwillig erwachte. Dinge, die aus der Welt verschwunden waren. Die Kälte trieb ihn an, das Feuer zu unterhalten. Eine Erinnerung daran, wie sie frühmorgens über den Rasen auf das Haus zugekommen war, in einem dünnen, rosenfarbenen Gewand, das ihre Brüste umschmiegte. Er dachte, dass jede ins Gedächtnis zurückgerufene Erinnerung ihren Ursprüngen Gewalt antat. Wie bei einem Partyspiel. Sag das Wort und gib es weiter. Also geize damit. Was du mit der Erinnerung änderst, besitzt schon eine Wirklichkeit, ob bewusst oder nicht.

In die schmutzigen Decken gehüllt, gingen sie durch die Straßen. Er hielt den Revolver auf Hüfthöhe und den Jungen bei der Hand. Am anderen Ende der Stadt stießen sie auf ein für sich stehendes Haus auf einer Wiese und gingen durch sämtliche Zimmer. Sie trafen auf sich selbst in einem Spiegel, und er hätte beinahe den Revolver gehoben. Das sind wir, Papa, flüsterte der Junge. Das sind wir.

Er stand in der Hintertür und blickte hinaus auf die Felder, die Straße dahinter und das öde Land jenseits der Straße. Auf der Terrasse stand ein Grill: ein mit dem Schweißbrenner der Länge nach aufgeschnittenes und auf ein schmiedeeisernes Gestell gesetztes 200-Liter-Metallfass. Im Garten ein paar tote Bäume. Ein Zaun. Ein Werkzeugschuppen aus Blech. Er schüttelte die Decke ab und legte sie dem Jungen um die Schultern.

Ich möchte, dass du hier wartest.

Ich will mitgehen.

Ich gehe nur eben da rüber und werfe einen Blick hinein.

Setz dich einfach da hin. Du wirst mich die ganze Zeit sehen können. Versprochen.

Den Revolver noch immer in der Hand, durchquerte er den Garten und stieß die Tür auf. Es handelte sich um so etwas wie einen Geräteschuppen. Gestampfter Boden. Metallregale, darauf ein paar Blumentöpfe aus Plastik. Alles mit Asche bedeckt. In der Ecke standen Gartengeräte. Ein Rasenmäher. Unter dem Fenster eine Holzbank, daneben ein Metallspind. Er öffnete den Spind. Alte Kataloge. Tütchen mit Samen. Begonie. Purpurwinde. Er steckte sie ein. Wozu? Auf dem obersten Bord standen zwei Dosen Motoröl, die er herunterholte und auf die Bank stellte, nachdem er den Revolver in den Gürtel gesteckt hatte. Sie waren sehr alt, bestanden aus Pappe mit Verschlüssen aus Metall. Stellenweise war das Öl durch die Pappe geschlagen, aber sie schienen noch voll zu sein. Er trat zurück und blickte zur Tür hinaus. In die Decken gehüllt, saß der Junge auf der Hintertreppe des Hauses und beobachtete ihn. Als er sich umdrehte, sah er in der Ecke hinter der Tür einen Benzinkanister. Er wusste, dass kein Benzin mehr darin sein konnte, doch als er ihn mit dem Fuß anstieß, hörte er ein leises Gluckern. Er trug den Kanister zu der Bank und versuchte erfolglos, den Deckel abzuschrauben. Er zog die Zange aus seiner Jackentasche, öffnete die Backen und setzte sie an. Sie passte knapp, er schraubte den Deckel ab, legte ihn auf die Bank und schnupperte. Gestank. Jahre alt. Aber es war Benzin und würde brennen. Er schraubte den Deckel wieder auf und steckte die Zange ein. Er schaute sich nach einem kleineren Behälter um, aber es war keiner zu finden. Er hätte die Flasche nicht wegwerfen sollen. Im Haus nachsehen.

Als er über das Gras ging, wurde ihm schwummrig, und er musste stehen bleiben. Er fragte sich, ob es daher kam, dass er an dem Benzin gerochen hatte. Der Junge beobachtete ihn. Wie viele Tage noch bis zum Tod? Zehn? Viel mehr jedenfalls nicht. Er konnte nicht denken. Warum war er stehen geblieben? Er drehte sich um und senkte den Blick auf das Gras. Er ging zurück. Mit prüfenden Schritten. Er blieb stehen und drehte sich erneut um. Dann ging er zum Schuppen zurück. Er kam mit einem Spaten wieder, dessen Blatt er an der Stelle, wo er gestanden hatte, in den Boden stieß. Es drang bis zur Hälfte ein und stoppte dann mit einem hohlen, hölzernen Geräusch ab. Er begann die Erde wegzuschaufeln.

Es ging langsam. Gott, war er müde. Er stützte sich auf den Spaten. Er hob den Kopf und sah den Jungen an. Der Junge saß da wie vorher. Er machte sich wieder an die Arbeit. Nicht lange, und er musste sich nach jedem Spatenstich ausruhen. Was er schließlich freilegte, war ein Stück Sperrholz, mit Dachpappe benagelt. Er schaufelte die Ränder frei. Es handelte sich um eine Klappe, etwa einen mal zwei Meter groß. An einem Ende befand sich ein Schließband mit einem Vorhängeschloss, beides von einem zugeklebten Plastikbeutel umhüllt. Er ruhte sich aus, hielt sich am Spatenstiel fest, die Stirn in der Armbeuge. Als er wieder aufblickte, stand der Junge im Garten, nur wenige Meter von ihm entfernt. Er hatte schreckliche Angst. Mach nicht auf, Papa, flüsterte er.

Alles okay.

Bitte, Papa. Bitte.

Alles okay.

Nein, ist es nicht.

Er hatte die Fäuste vor der Brust geballt und hüpfte vor

Angst auf und ab. Der Mann ließ den Spaten fallen und schlang die Arme um das Kind. Komm, sagte er. Wir setzen uns einfach auf die Veranda und ruhen uns ein bisschen aus.

Und dann können wir gehen?

Setzen wir uns einfach ein Weilchen hin.

Okay.

In die Decken gehüllt, saßen sie da und schauten in den Garten. Lange Zeit saßen sie so. Er versuchte dem Jungen zu erklären, dass im Garten niemand begraben sei, doch der Junge fing nur zu weinen an. Nach einer Weile glaubte er sogar, dass der Junge vielleicht recht hatte.

Lass uns einfach hier sitzen, sagte er. Wir müssen auch gar nicht reden.

Okay.

Sie gingen erneut durch das Haus. Er fand eine Bierflasche und einen alten Gardinenfetzen, riss einen Streifen von dem Stoff ab und stopfte ihn mit einem Kleiderbügel in den Flaschenhals. Das ist unsere neue Lampe, sagte er.

Wie können wir sie anzünden?

Ich habe im Schuppen ein bisschen Benzin gefunden. Und Öl. Ich zeige es dir.

Okay.

Komm, sagte der Mann. Es ist alles okay. Versprochen.

Doch als er sich bückte, um dem Jungen in das von der Kapuze der Decke beschattete Gesicht zu sehen, befürchtete er stark, dass etwas kaputt gegangen war, was sich nicht wieder in Ordnung bringen ließ.

Sie gingen durch den Garten zum Schuppen. Er stellte die Flasche auf die Bank, nahm einen Schraubenzieher, stieß ein Loch in eine der Öldosen und machte noch ein zweites, damit sich das Öl besser abgießen ließ. Er zog den Docht aus der Flasche und goss sie ungefähr halbvoll, altes Rohöl, von der Kälte dick und zähflüssig, sodass der Vorgang länger dauerte. Er schraubte den Deckel des Benzinkanisters ab, drehte aus einem der Samentütchen einen Fidibus, goss Benzin in die Flasche, hielt mit dem Daumen den Hals zu und schüttelte sie. Dann goss er etwas auf einen Tonteller, nahm den Lumpen und stopfte ihn mit dem Schraubenzieher in die Flasche zurück. Er zog ein Stück Feuerstein aus der Tasche und schlug es gegen die gezahnten Backen der Zange. Er versuchte es mehrmals, hielt dann inne und goss mehr Benzin auf den Teller. Es gibt vielleicht eine Stichflamme, sagte er. Der Junge nickte. Er schrappte Funken auf den Teller, auf dem mit leisem Wummern eine Flamme erblühte. Er griff nach der Flasche, neigte sie, zündete den Docht an, blies die Flamme auf dem Teller aus und reichte dem Jungen die qualmende Flasche. Hier, sagte er. Nimm das.

Was machen wir jetzt?

Halt die Hand vor die Flamme. Lass sie nicht ausgehen.

Er stand auf und zog den Revolver aus dem Gürtel. Diese Luke sieht aus wie die andere, sagte er. Aber das täuscht. Ich weiß, du hast Angst. Das ist okay. Ich glaube, dort unten könnte es etwas geben, und deshalb müssen wir nachsehen. Wir können nirgendwo anders hin. Es muss sein. Ich möchte, dass du mir hilfst. Wenn du nicht die Lampe halten willst, musst du den Revolver nehmen.

Ich halte die Lampe.

Okay. Genau das tun die Guten. Sie versuchen es immer wieder. Sie geben nicht auf.

Okay.

Den schwarzen Rauch der Lampe im Schlepp, ging er dem Jungen voran in den Garten. Er steckte den Revolver in den Gürtel, griff nach dem Spaten und begann, das Schließband aus dem Sperrholz zu hacken. Er zwängte eine Ecke des Blattes darunter, stemmte es hoch, kniete sich hin, packte das Schloss, drehte das ganze Ding los und warf es ins Gras. Er zwängte das Blatt unter die Luke, schob die Finger darunter, stand dann auf und hob sie an. Er sah den Jungen an. Alles in Ordnung?, fragte er. Der Junge nickte stumm, hielt die Lampe vor sich. Der Mann schwang die Luke zurück und ließ sie ins Gras fallen. Eine einfache, aus dicken Planken gezimmerte Treppe führte hinab in die Dunkelheit. Er nahm dem Jungen die Lampe aus der Hand. Er ging ein paar Stufen hinunter, doch dann machte er noch einmal kehrt, beugte sich vor und küsste das Kind auf die Stirn.

Der Bunker war mit Hohlblöcken ausgemauert. Ein gegossener Betonboden, mit Küchenfliesen belegt. Es gab zwei eiserne Bettgestelle mit offenliegenden Federn, eines an jeder Wand, die Matratzen wie beim Militär zusammengerollt am Fußende. Er drehte sich um und sah den Jungen an, der über ihm kauerte und in den von der Lampe aufsteigenden Rauch blinzelte, dann stieg er auf die unteren Stufen hinab, setzte sich hin und hielt die Lampe nach vorn. O mein Gott, flüsterte er. O mein Gott.

Was ist denn, Papa?

Komm herunter. O mein Gott. Komm herunter.

Kiste auf Kiste mit Konserven. Tomaten, Pfirsiche, Bohnen, Aprikosen. Dosenschinken. Corned Beef. Wasser, Hunderte von Litern, in 40-Liter-Plastikkanistern. Papierhandtücher, Toilettenpapier, Pappteller. Plastikmüllsäcke, vollgestopft mit Decken. Er fasste sich an die Stirn. O mein Gott, sagte er. Er blickte sich zu dem Jungen um. Alles in Ordnung, sagte er. Komm herunter.

Papa?

Komm herunter. Komm herunter, das musst du sehen.

Er stellte die Lampe auf eine Stufe, stieg hinauf und nahm den Jungen bei der Hand. Komm, sagte er. Alles in Ordnung.

Was hast du gefunden?

Ich habe alles gefunden. Alles. Warte nur, bis du das siehst. Er führte ihn die Treppe hinunter, griff nach der Flasche und hielt sie hoch. Siehst du das?, sagte er. Siehst du das?

Was ist das alles, Papa?

Essen. Kannst du das lesen?

Birnen. Da steht Birnen.

Ja. Ja, das steht da. O ja.

Der Raum war gerade so hoch, dass er stehen konnte. Er duckte sich unter einer Laterne mit grüner Metallblende hindurch, die an einem Haken von der Decke hing. Er hielt den Jungen bei der Hand, und sie gingen an den Reihen mit Schablonenschrift versehener Kartons entlang. Chili, Mais, Ragout, Suppe, Spaghettisauce. Die Fülle einer verschwundenen Welt. Warum ist das hier?, fragte der Junge. Ist das echt?

O ja. Das ist echt.

Er hievte einen der Kartons herunter, riss ihn auf und hielt eine Dose Pfirsiche hoch. Es ist hier, weil irgendwer gedacht hat, dass es vielleicht einmal gebraucht wird.

Aber sie sind nicht dazu gekommen, es zu verwenden.

Nein.

Sie sind gestorben.

Ja.

Dürfen wir das jetzt nehmen?

Ja. Das dürfen wir. Sie hätten das auch gewollt. Genau wie umgekehrt auch wir es wollen würden.

Waren sie die Guten?

Ja. Das waren sie.

Wie wir.

Wie wir. Ja.

Also ist es okay.

Ja. Es ist okay.

Es gab Messer und Plastikutensilien, Besteck und Kochzubehör in einer Plastikbox. Einen Dosenöffner. Es gab elektrische Taschenlampen, die nicht funktionierten. Er fand eine Schachtel Batterien und Trockenzellen und sah sie durch. Größtenteils korrodiert und mit austretendem Säurebrei, aber einige sahen intakt aus. Es gelang ihm schließlich, eine der Laternen anzuzünden, und er stellte sie auf den Tisch und blies die qualmende Flamme der Lampe aus. Er riss eine Deckelklappe des geöffneten Kartons ab und wedelte damit den Rauch hinaus, dann stieg er die Treppe hinauf, ließ die Luke herab und wandte sich dem Jungen zu. Was möchtest du gern zu Abend essen?, fragte er.

Birnen.

Eine gute Wahl. Dann also Birnen.

Er nahm zwei Pappschalen aus einem in Plastikfolie eingeschweißten Stapel und stellte sie auf den Tisch. Er rollte die Matratzen auf den Bettgestellen aus, damit sie darauf sitzen konnten, dann riss er den Karton mit Birnen auf, nahm eine Dose heraus, stellte sie auf den Tisch, hakte den Dosenöffner am Deckel ein und begann das Rad zu drehen. Er sah den Jungen an. Der saß, immer noch in die Decke gehüllt, still auf dem Bett und sah ihm zu. Der Mann dachte, dass er das alles hier noch nicht ganz an sich herangelassen hatte. Man konnte jederzeit im dunklen, nassen Wald erwachen. Das werden die besten Birnen sein, die du je gegessen hast, sagte er. Die besten. Wart's nur ab.

Sie saßen nebeneinander und aßen die Dose Birnen. Dann aßen sie eine Dose Pfirsiche. Sie leckten die Löffel ab und tranken den kräftigen, süßen Sirup aus den Schalen. Sie sahen einander an.

Eine noch.

Ich möchte nicht, dass dir schlecht wird.

Mir wird nicht schlecht.

Du hast lange Zeit nichts gegessen.

Ich weiß.

Okay.

Er legte den Jungen auf dem Bettgestell schlafen, strich ihm das schmutzige Haar auf dem Kissen glatt und deckte ihn zu. Als er die Treppe hinaufstieg und die Klappe anhob, war es draußen fast dunkel. Er ging zur Garage, holte den Rucksack, kam zurück, warf einen letzten Blick in die Runde, ging dann die Treppe hinunter, zog die Klappe zu und steckte einen der Zangengriffe durch das kräftige Schließband an der Innenseite. Die elektrische Laterne begann schon trübe zu werden, und er durchsuchte die Vorräte, bis er ein paar Kartons weißes

Benzin in 4-Liter-Kanistern fand. Er lüpfte einen der Kanister heraus, schraubte den Deckel ab und durchstieß mit einem Schraubenzieher die Folienversiegelung. Dann nahm er die Lampe von dem Haken an der Decke und füllte sie. Er hatte bereits eine Plastikbox mit Butangasfeuerzeugen gefunden, zündete mit einem davon die Lampe an, regulierte die Flamme und hängte die Lampe wieder auf. Dann saß er einfach nur auf dem Bett.

Während der Junge schlief, begann er, die Vorräte methodisch durchzusehen. Kleidung, Pullover, Socken. Eine große Schüssel aus rostfreiem Stahl, Schwämme und Seifenriegel. Zahnpasta und Zahnbürsten. Auf dem Boden eines großen Plastikeimers mit Bolzen, Schrauben und diversen Beschlägen fand er zwei Handvoll goldene Krügerrands in einem Stoffsäckchen. Er kippte sie aus, drückte sie in der Hand, betrachtete sie, schaufelte sie dann zusammen mit den Beschlägen in den Eimer zurück und stellte diesen in das Regal.

Er durchsuchte alles, wuchtete Kartons und Kisten von einer Seite des Raums auf die andere. Eine kleine Stahltür führte in einen zweiten Raum, wo Gasflaschen untergebracht waren. In der Ecke eine chemische Toilette. In den Wänden befanden sich mit Maschendraht abgedeckte Öffnungen von Belüftungsrohren und im Boden Abflüsse. Es wurde warm in dem Bunker, und er hatte sich die Jacke ausgezogen. Er ging alles durch. Er fand eine Schachtel Pistolenpatronen Kaliber .45 und drei Schachteln Gewehrpatronen Kaliber .30-30. Eine Schusswaffe fand er allerdings nicht. Er nahm die elektrische Laterne und suchte die Wände nach verborgenen Fächern ab.

Nach einer Weile setzte er sich einfach auf das Bett und aß einen Riegel Schokolade. Es gab keine Schusswaffe, und es würde sich auch keine finden.

Als er aufwachte, zischte die Lampe an der Decke leise. Das Licht beschien die Bunkerwände, die Kartons und Kisten. Er wusste nicht, wo er sich befand. Er war mit seiner Jacke zugedeckt. Er setzte sich auf und betrachtete den schlafenden Jungen auf dem anderen Bett. Er hatte sich die Schuhe ausgezogen, doch auch daran erinnerte er sich nicht. Er holte sie unter dem Bett hervor, zog sie an, stieg die Treppe hinauf, zog die Zange aus dem Schließband, hob die Klappe an und spähte hinaus. Früher Morgen. Er schaute zum Haus und in Richtung Straße, und er wollte die Klappe gerade wieder herablassen, als er stutzte. Das vage graue Licht lag im Westen. Sie hatten die ganze Nacht und den darauffolgenden Tag durchgeschlafen. Er senkte die Klappe, sicherte sie wieder, stieg die Treppe hinunter und setzte sich auf das Bett. Er war darauf gefasst gewesen zu sterben, und nun würde er am Leben bleiben, und darüber musste er nachdenken. Jeder konnte die Luke im Garten sehen und würde sofort wissen, worum es sich handelte. Er musste sich etwas überlegen. Das hier war kein Sich-Verstecken im Wald. Weit davon entfernt. Schließlich stand er auf, ging zum Tisch, schloss den kleinen, zweiflammigen Gaskocher an, holte eine Bratpfanne und einen Wasserkessel und öffnete die Plastikbox mit Kochutensilien.

Das Geräusch der kleinen Handmühle, mit der er Kaffee mahlte, weckte den Jungen schließlich. Er setzte sich auf und starrte um sich. Papa?, sagte er.

Morgen. Hast du Hunger?

Ich muss aufs Klo. Ich muss pinkeln.

Er deutete mit dem Bratenwender auf die niedrige Stahltür. Er wusste nicht, wie man die Toilette richtig benutzte, aber sie würden sie trotzdem benutzen. So lange würden sie nicht hier bleiben, und er würde die Luke nicht öfter als unbedingt nötig öffnen und schließen. Der Junge ging an ihm vorbei, sein Haar schweißverklebt. Was ist das?, fragte er.

Kaffee. Schinken. Brötchen.

Wow, sagte der Junge.

Er zog eine Truhe zwischen die Betten, bedeckte sie mit einem Handtuch und verteilte Teller, Tassen und Plastikutensilien darauf. Er stellte eine mit einem kleinen Handtuch abgedeckte Schale mit Brötchen dazu, außerdem einen Teller mit Butter und eine Dose Kondensmilch. Salz und Pfeffer. Er sah den Jungen an, der völlig benommen wirkte. Er nahm die Bratpfanne vom Kocher, stocherte mit einer Gabel eine braungebratene Schinkenscheibe auf den Teller des Jungen, häufte Rührei aus der anderen Pfanne darauf, gab löffelweise gebackene Bohnen dazu und goss Kaffee in die Tassen. Der Junge blickte zu ihm auf.

Nur zu, sagte er. Lass es nicht kalt werden.

Was esse ich als Erstes?

Was du magst.

Ist das Kaffee?

Ja. Hier. Du streichst Butter auf deine Brötchen. So.

Okay.

Fehlt dir was?

Ich weiß nicht.

Geht's dir gut?

Ja.

Was ist denn?

Meinst du, wir sollten den Leuten danken?

Den Leuten?

Den Leuten, von denen wir das alles haben.

Ach so. Ja, ich denke, das könnten wir.

Machst du es?

Warum machst du es nicht?

Ich weiß nicht, wie.

Doch, das weißt du. Du weißt, wie man danke sagt.

Der Junge saß da und starrte auf seinen Teller. Er wirkte hilflos. Der Mann setzte gerade zum Sprechen an, als der Junge sagte: Liebe Leute, danke für das ganze Essen und die Sachen. Wir wissen, dass ihr es für euch selbst aufbewahrt habt, und wenn ihr hier wärt, würden wir es nicht essen, ganz gleich wie hungrig wir wären, und es tut uns leid, dass ihr nichts davon bekommen habt, und wir hoffen, dass ihr im Himmel beim lieben Gott in Sicherheit seid.

Er blickte auf. Ist das okay?, fragte er.

Ja. Ich denke, das ist okay.

Er wollte nicht allein im Bunker bleiben. Er folgte dem Mann über den Rasen hin und her, während dieser die Plastikkanister mit Wasser in das Badezimmer im hinteren Teil des Hauses trug. Sie nahmen den kleinen Kocher und ein paar Töpfe mit, und er machte Wasser heiß, goss es in die Badewanne und goss Wasser aus den Plastikkanistern dazu. Es dauerte lange, aber er wollte, dass es schön warm wurde. Als die Wanne fast voll war, zog sich der Junge aus, stieg zitternd in das Wasser und setzte sich hin. Dürr und schmutzig und nackt. Die Arme um den Oberkörper geschlungen. Das einzige Licht ging von dem Ring blauer Zähne am Brenner des Kochers aus. Na, was sagst du?, fragte der Mann.

Endlich warm.

Endlich warm?

Ja.

Wo hast du denn das her?

Ich weiß nicht.

Okay. Endlich warm.

Er wusch ihm das dreckige, verfilzte Haar und säuberte ihn mit der Seife und den Schwämmen. Er ließ das schmutzige Wasser ab, in dem der Junge saß, übergoss ihn mit frischem, warmem Wasser aus dem Topf und hüllte den Zitternden in ein Handtuch, um das er noch eine Decke schlug. Er kämmte ihm das Haar und sah ihn an. Dampf stieg von ihm auf wie Rauch. Bist du okay?, fragte er.

Ich habe kalte Füße.

Du wirst auf mich warten müssen.

Beeil dich.

Er badete, dann stieg er aus der Wanne, schüttete Waschmittel in das Badewasser und stieß mit einem Ausgussreiniger ihre stinkenden Jeans in die Lauge. Bist du so weit?, fragte er.

Ja.

Er drehte den Brenner herunter, bis er flackernd ausging, dann knipste er die Taschenlampe an und legte sie auf den Boden. Sie setzten sich auf den Wannenrand und zogen ihre Schuhe an, dann gab er dem Jungen den Topf und die Seife, nahm selbst den Kocher, die kleine Gasflasche und den Revolver, und sie gingen, in ihre Decken gehüllt, über den Rasen zurück zum Bunker.

In neuen Pullovern und Socken und in die neuen Decken gehüllt, saßen sie, ein Damebrett zwischen sich, auf der Pritsche. Er hatte einen kleinen Gasofen angeschlossen, und sie tranken Coca-Cola aus Plastikbechern, und nach einer Weile ging er zum Haus zurück, wrang die Jeans aus, brachte sie in den Bunker mit und hängte sie zum Trocknen auf.

Wie lange können wir hier bleiben, Papa?

Nicht lange.

Wie lange ist das?

Ich weiß nicht. Vielleicht noch einen Tag. Zwei.

Weil es gefährlich ist.

Ja.

Meinst du, sie finden uns?

Nein. Sie finden uns nicht.

Vielleicht doch.

Nein. Sie finden uns nicht.

Später, als der Junge schlief, ging er zum Haus und schleppte ein paar Möbelstücke auf den Rasen hinaus. Dann holte er eine Matratze, legte sie auf die Luke, zog sie von innen über das Sperrholz und ließ vorsichtig die Luke herab, sodass die Matratze sie vollständig bedeckte. Es war keine sehr raffinierte Tarnung, aber besser als gar nichts. Während der Junge schlief, saß er auf der Pritsche und schnitzte mit seinem Messer aus einem Ast falsche Patronen, die er sorgfältig und unter häufigem Nachschnitzen in die leeren Bohrungen der Trommel einpasste. Er formte die Enden mit dem Messer, schmirgelte sie mit Salz glatt und verrieb Schmutz darauf, bis sie die Farbe von Blei hatten. Als er alle fünf fertig hatte, schob er sie in die Trommel, ließ diese zuschnappen, drehte den Revolver um und betrachtete ihn. Selbst aus dieser kurzen Entfernung sah die Waffe wie geladen aus, und er legte sie beiseite und stand auf, um die Beine der über dem Ofen dampfenden Jeans zu befühlen.

Er hatte die kleine Handvoll leerer Patronenhülsen für den Revolver aufbewahrt, aber sie waren mit allem anderen fort. Er hätte sie in seiner Tasche aufbewahren sollen. Sogar die letzte hatte er verloren. Vielleicht hätte er sie unter Verwendung der 45er Patronen neu laden können. Die Zündhütchen würden wahrscheinlich passen, wenn er sie herausbekäme, ohne sie kaputt zu machen. Die Kugeln mit dem Teppichmesser auf die entsprechende Größe zurechtschaben. Er stand auf und inspizierte ein letztes Mal die Vorräte. Dann drehte er die Lampe herunter, bis die Flamme spuckend erlosch, gab dem Jungen einen Kuss, kroch unter die sauberen Decken des anderen Betts, betrachtete noch einmal dieses winzige, im orangefarbenen Licht des Ofens zitternde Paradies und schlief endlich ein.

Die Stadt war schon vor Jahren verlassen worden, aber sie waren trotzdem auf der Hut, während sie, der Junge an seiner Hand, durch die mit Abfall übersäten Straßen gingen. Sie kamen an einem Müllcontainer vorbei, in dem irgendwann einmal jemand versucht hatte, Leichen zu verbrennen. Ohne die Formen der Schädel wären das verkohlte Fleisch und die Knochen unter der feuchten Asche womöglich nicht weiter aufgefallen. Kein Geruch mehr. Am Ende der Straße lag ein Supermarkt, und in einem der Gänge, in denen sich leere Kartons stapelten, standen drei ineinanderverkeilte Einkaufswagen. Er musterte sie, zog einen davon heraus, ging in die Hocke, drehte die Räder, stand dann auf und schob ihn den Gang hinauf und wieder zurück.

Wir könnten zwei nehmen, sagte der Junge.

Nein.

Ich könnte einen schieben.

Du bist der Kundschafter. Dich brauche ich als Ausguck.

Was machen wir mit den ganzen Sachen?

Wir nehmen einfach mit, was wir können.

Glaubst du, es kommt jemand?

Ja. Irgendwann schon.

Du hast gesagt, es kommt niemand.

Ich habe nicht gemeint, nie.

Ich wünschte, wir könnten hierbleiben.

Ich weiß.

Wir könnten doch aufpassen.

Wir passen auf.

Und wenn ein paar Gute kämen?

Also, ich glaube nicht, dass wir auf der Straße unbedingt irgendwelche Guten treffen.

Wir sind doch auch auf der Straße.

Ich weiß.

Wenn man die ganze Zeit aufpasst, heißt das dann, dass man die ganze Zeit Angst hat?

Tja. Man muss wohl überhaupt erst genügend Angst haben, um aufzupassen. Um vorsichtig zu sein. Wachsam.

Aber die übrige Zeit hat man keine Angst?

Die übrige Zeit?

Ja.

Ich weiß nicht. Vielleicht sollte man immer aufpassen. Falls es Ärger gibt, wenn man am wenigsten damit rechnet, sollte man vielleicht immer damit rechnen.

Rechnest du immer damit? Papa?

Ja. Aber manchmal vergesse ich auch aufzupassen.

Er setzte den Jungen unter der Laterne auf die Truhe und machte sich mit einem Plastikkamm und einer Schere daran, ihm die Haare zu schneiden. Er versuchte es gut zu machen, und es dauerte einige Zeit. Als er fertig war, zog er dem Jungen das Handtuch von den Schultern, nahm damit das goldene Haar vom Boden auf, wischte Gesicht und Schultern des Jungen mit einem feuchten Tuch ab und hielt ihm einen Spiegel vor.

Das hast du gut gemacht, Papa.

Gut.

Ich sehe ganz mager aus.

Du bist auch ganz mager.

Er schnitt sich selbst die Haare, aber das Ergebnis war weniger gelungen. Er stutzte sich mit der Schere den Bart, während ein Topf Wasser heiß wurde, und rasierte sich dann mit einem Einmalrasierer. Der Junge sah ihm zu. Als er fertig war, betrachtete er sich im Spiegel. Er schien kein Kinn zu haben. Er wandte sich dem Jungen zu. Wie sehe ich aus? Der Junge legte den Kopf schräg. Ich weiß nicht, sagte er. Wird dir jetzt kalt?

Bei Kerzenlicht aßen sie ein üppiges Mahl. Schinken, grüne Bohnen und Kartoffelbrei mit Brötchen und Bratfett. Er hatte vier Literflaschen Whiskey gefunden – sie steckten noch in den Papiertüten, in denen sie gekauft worden waren – und trank ein wenig davon, mit Wasser vermischt. Ihm wurde schon schwindelig, bevor er ausgetrunken hatte, und er ließ ihn stehen. Zum Nachtisch aßen sie Pfirsiche mit Sahne auf süßen Brötchen und tranken Kaffee. Die Pappteller und das Plastikbesteck warf er in einen Müllbeutel. Dann spielten sie Dame, und danach brachte er den Jungen zu Bett.

In der Nacht wurde er vom gedämpften Prasseln von Regen auf der Matratze über der Luke geweckt. Er dachte, dass es wohl ziemlich kräftig regnen musste, wenn er es hören konnte. Er stand auf, ging mit der Taschenlampe die Treppe hinauf, hob die Luke an und ließ den Lichtstrahl durch den Garten wandern. Der stand bereits unter Wasser, und es regnete in Strömen. Er schloss die Luke. Wasser war eingesickert und tropfte die Treppe hinunter, doch der Bunker selbst machte einen ziemlich dichten Eindruck. Er ging nach dem Jungen sehen. Der Junge war schweißfeucht, und der Mann schlug eine der Decken zurück, fächelte dem Jungen das Gesicht, drehte dann den Ofen herunter und ging wieder ins Bett.

Als er das nächste Mal aufwachte, war ihm, als hätte es zu regnen aufgehört. Aber ihn hatte etwas anderes geweckt. Im Traum hatten ihn Geschöpfe heimgesucht, wie er sie noch nie gesehen hatte. Sie sprachen nicht. Ihm war, als hätten sie, während er schlief, an seinem Bett gekauert und sich davongeschlichen, als er aufgewacht war. Er drehte sich zu dem Jungen hin und betrachtete ihn. Vielleicht begriff er zum ersten Mal, dass er für diesen selbst ein außerirdisches Wesen war. Ein Geschöpf von einem Planeten, den es nicht mehr gab. Dessen Schilderungen suspekt waren. Er konnte die Welt, die er verloren hatte, nicht zum Vergnügen des Kindes wiedererstehen lassen, ohne auch den Verlust wiedererstehen zu lassen, und vielleicht, dachte er, hatte das Kind das besser verstanden als er. Er versuchte, sich an den Traum zu erinnern, konnte es aber nicht. Nur die damit verbundene Empfindung war noch übrig. Vielleicht, dachte er, waren sie gekommen, um ihn zu warnen. Wovor? Dass er im Herzen des Kindes nicht entfachen konnte, was in seinem eigenen Asche war. Selbst jetzt noch wünschte etwas in ihm, sie hätten diesen Zufluchtsort nie gefunden. Etwas in ihm wünschte immer, es wäre vorbei.

Er vergewisserte sich, dass das Ventil der Gasflasche geschlossen war, drehte den kleinen Kocher auf der Truhe um, setzte sich hin und machte sich daran, ihn auseinanderzunehmen. Er schraubte die Bodenplatte ab, nahm die Brennerkonstruktion heraus und löste mit einem kleinen Rollgabelschlüssel die beiden Brenner. Er kippte den Plastikeimer mit den Beschlägen aus, suchte eine Muffe heraus, die in das Anschlussstück passte und drehte sie fest. Er schloss den Schlauch der Gasflasche an und wog den kleinen, leichtgewichtigen Topfstahlbrenner in der Hand. Er legte ihn auf die Truhe, warf das Metallgehäuse in den Müll und ging zur Treppe, um nach dem Wetter zu sehen. Die Matratze über der Luke hatte sich kräftig mit Wasser vollgesogen, und die Luke war schwer anzuheben. Er stützte sie mit der Schulter ab, während er in den Tag hinausblickte. Leichter Nieselregen. Unmöglich zu sagen, mit welcher Tageszeit er es zu tun hatte. Er blickte hinüber zum Haus und auf die tropfnasse Landschaft, dann ließ er die Luke wieder herab, stieg die Treppe hinunter und machte Frühstück.

Sie verbrachten den Tag mit Essen und Schlafen. Er hatte geplant aufzubrechen, aber der Regen war Rechtfertigung genug zu bleiben. Der Einkaufswagen stand im Schuppen. Unwahrscheinlich, dass heute jemand auf der Straße unterwegs war. Sie gingen die Vorräte durch und stellten, was sie mitnehmen konnten, zu einem wohlbemessenen Stapel in der Ecke des Bunkers zusammen. Der Tag war kurz, eigentlich kaum als Tag zu bezeichnen. Bei Einbruch der Dunkelheit hatte es zu regnen aufgehört, und sie begannen, Kartons, Päckchen und Plastiktüten durch den feuchten Garten zum Schuppen zu tragen und in den Einkaufswagen zu packen. Die schwacherleuchtete Lukenöffnung lag im Dunkel des Gartens wie ein gähnendes Grab auf einem alten, apokalyptischen Gemälde vom Jüngsten Gericht. Als der Wagen mit allem beladen war, was er fassen konnte, legte der Mann eine Plastikplane darüber, deren Ösen er mit kurzen Gummibandstücken am Drahtkorb festzurrte, dann traten sie zurück und betrachteten ihn im Licht der Taschenlampe. Er dachte, dass er sich von den anderen Wagen im Supermarkt ein paar Reserveräder hätte holen sollen, doch nun war es zu spät. Er hätte auch den Motorradspiegel von ihrem alten Wagen aufheben sollen. Sie aßen zu Abend, schliefen bis zum Morgen, badeten noch einmal und wuschen sich in Schüsseln mit warmem Wasser die Haare. Sie frühstückten und waren im Morgengrauen auf der Straße, jeder mit einem neuen, aus Betttuchstoff zurechtgeschnittenen Mundschutz, der Junge, der mit einem Besen den Weg von Ästen und Zweigen freihielt, vornweg, der Mann über den Griff des Wagens gebeugt und den Blick auf die vor ihnen abfallende Straße gerichtet.

Der Wagen war zu schwer, als dass er ihn in den nassen Wald hätte schieben können, und so machten sie auf der Straße Mittagspause, kochten sich Tee und aßen den Rest des Dosenschinkens mit Kräckern, Senf und Apfelmus. Saßen Rücken an Rücken und beobachteten die Straße. Weißt du, wo wir sind, Papa?, fragte der Junge.

So ungefähr.

Und wo ist das?

Tja. Ich glaube, wir sind ungefähr dreihundertfünfzig Kilometer von der Küste entfernt. Luftlinie.

Luftlinie?

Ja. Das bedeutet in gerader Linie.

Sind wir bald dort?

So bald nicht. Aber ziemlich bald. Wir sind nun mal nicht in Luftlinie unterwegs wie Vögel.

Weil Vögel keinen Straßen folgen müssen?

Ja.

Sie können fliegen, wohin sie wollen.

Ja.

Glaubst du, es gibt vielleicht noch irgendwo Vögel?

Das weiß ich nicht.

Aber was glaubst du?

Ich halte es für unwahrscheinlich.

Könnten sie zum Mars oder sonstwohin fliegen?

Nein, das könnten sie nicht.

Weil es zu weit ist?

Ja.

Auch wenn sie wollten?

Auch wenn sie wollten.

Und wenn sie es probieren und die Hälfte der Strecke oder so schaffen würden und dann zu müde wären? Würden sie dann wieder herunterfallen?

Tja, in Wirklichkeit könnten sie gar nicht die Hälfte der Strecke schaffen, weil sie dann im All wären, und im All gibt es keine Luft, also könnten sie nicht fliegen, und außerdem wäre es zu kalt, und sie würden erfrieren.

Ach so.

Und überhaupt würden sie gar nicht wissen, wo der Mars ist.

Wissen wir denn, wo der Mars ist?

So ungefähr.

Wenn wir ein Raumschiff hätten, könnten wir dann hinfliegen?

Tja, wenn man ein richtig gutes Raumschiff hätte und andere Leute einem helfen würden, könnte man das wohl schon.

Gäbe es dort denn auch Essen und solche Sachen?

Nein. Dort gibt es nichts.

Ach so.

So saßen sie lange Zeit. Sie saßen auf ihren gefalteten Decken und beobachteten die Straße in beiden Richtungen. Kein Wind. Nichts. Nach einer Weile sagte der Junge: Es gibt keine Vögel, stimmt's?

Nein.

Bloß in Büchern.

Ja. Bloß in Büchern.

Das hätte ich nicht gedacht.

Bist du so weit?

Ja.

Sie standen auf und verstauten ihre Becher und die restlichen Kräcker. Der Mann legte die Decken oben auf den Wagen, zurrte die Plane fest, stand dann da und sah den Jungen an. Was ist denn?, fragte der Junge.

Ich weiß, dass du geglaubt hast, wir würden sterben.

Ja.

Aber wir sind nicht gestorben.

Nein.

Okay.

Darf ich dich was fragen?

Klar.

Wenn man ein Vogel wäre, könnte man dann so hoch fliegen, dass man die Sonne sieht?

Ja.

Das dachte ich mir. Das wäre wirklich toll.

Ja, das wäre es. Bist du so weit?

Ja.

Er hielt inne. Was ist eigentlich aus deiner Flöte geworden?

Die habe ich weggeworfen.

Du hast sie weggeworfen??

Ja.

Okay.

Okay.

In der grauen Dämmerung überquerten sie einen Fluss, blieben stehen und schauten über das Betongeländer auf das träge, tote Wasser, das unten dahinzog. Flussabwärts auf den rußigen Dunst skizziert die Umrisse einer verbrannten Stadt, wie ein Fallvorhang aus schwarzem Papier. Kurz vor Einbruch der Dunkelheit, als sie den schweren Wagen eine lange Steigung hinaufschoben, sahen sie sie wieder und machten halt, um auszuruhen. Er stellte den Wagen quer, damit er nicht wegrollte. Ihr Mundschutz war bereits grau und ihre Augen dunkel umrandet. Sie saßen am Straßenrand in der Asche und blickten nach Osten, wo sich die Konturen der Stadt in der hereinbrechenden Nacht verdunkelten. Sie sahen keine Lichter.

Glaubst du, dort ist jemand, Papa?

Ich weiß nicht.

Wie bald können wir haltmachen?

Jetzt gleich.

Auf dem Hügel?

Wir können den Wagen zu den Felsen dort hinunterschieben und mit Ästen tarnen.

Ist das ein guter Platz zum Haltmachen?

Na ja, die Leute machen nicht gern auf Hügeln halt. Und wir möchten nicht, dass Leute haltmachen.

Also ist es ein guter Platz für uns.

Ich glaube schon.

Weil wir schlau sind.

Na ja, wir wollen nicht zu schlau werden.

Okay.

Bist du so weit?

Ja.

Der Junge stand auf, holte seinen Besen und legte ihn sich über die Schulter. Er sah seinen Vater an. Was sind unsere langfristigen Ziele?

Was?

Unsere langfristigen Ziele.

Wo hast du denn das her?

Ich weiß nicht.

Doch, wo hast du das her?

Du hast das gesagt.

Wann?

Ist schon lange her.

Und was war die Antwort?

Ich weiß nicht.

Tja. Ich auch nicht. Komm. Es wird dunkel.

Spät am folgenden Tag, als sie um eine Kurve bogen, blieb der Junge plötzlich stehen und legte die Hand an den Wagen. Papa, flüsterte er. Der Mann blickte auf. Weit vor ihnen auf der Straße eine kleine Gestalt, gebeugt, mit schlurfendem Gang.

Auf den Griff des Einkaufswagens gestützt, blieb er stehen. Tja, sagte er, wer ist das?

Was sollen wir tun, Papa?

Es könnte ein Lockvogel sein.

Was machen wir jetzt?

Folgen wir ihm einfach. Mal sehen, ob er sich umdreht.

Okay.

Der Wanderer hielt es offenbar nicht für nötig, gelegentlich zurückzublicken. Sie folgten ihm eine Zeit lang, dann überholten sie ihn. Ein alter Mann, klein und gebeugt. Er trug einen alten Armeerucksack, auf dem eine Deckenrolle festgeschnallt war, und tappte mit einem geschälten Ast als Stock dahin. Als er die beiden sah, trat er an den Straßenrand, drehte sich zu ihnen hin und blieb wachsam stehen. Er hatte sich ein schmutziges Handtuch so um den Kopf gebunden, als litte er unter Zahnschmerzen, und roch selbst nach ihren Neue-Welt-Maßstäben fürchterlich.

Ich habe nichts, sagte er. Ihr könnt nachsehen, wenn ihr wollt.

Wir sind keine Räuber.

Er reckte ihnen ein Ohr entgegen. Was?, rief er.

Ich habe gesagt, wir sind keine Räuber.

Was seid ihr dann?

Darauf wussten sie keine Antwort. Er wischte sich mit dem Handrücken die Nase und blieb weiter abwartend stehen. Er hatte keinerlei Schuhe, die um seine Füße gewickelten Lumpen und Pappstücke waren mit grünem Bindfaden fixiert, und durch die Risse und Löcher sah man zahlreiche Schichten schmutzigen Stoffs. Ganz plötzlich schien er noch weiter zu schrumpfen. Auf seinen Stock gestützt, ließ er sich auf die Straße sinken, wo er, eine Hand auf dem Kopf, in der Asche sitzen blieb. Er sah aus wie ein von einem Karren gefallenes Lumpenbündel. Sie kamen näher und blickten auf ihn hinab. Sir?, sagte der Mann. Sir?

Der Junge ging in die Hocke und legte ihm eine Hand auf die Schulter. Er hat Angst, Papa. Der Mann hat Angst.

Er blickte die Straße auf und ab. Wenn das ein Hinterhalt ist, erwischt es ihn als Ersten, sagte er.

Er hat bloß Angst, Papa.

Sag ihm, dass wir ihm nichts tun.

Die Finger in das schmutzige Haar gewühlt, bewegte der Alte den Kopf hin und her. Der Junge blickte zu seinem Vater auf.

Vielleicht denkt er, wir sind nicht wirklich.

Was denkt er denn, was wir sind?

Ich weiß nicht.

Wir können nicht hierbleiben. Wir müssen weiter.

Er hat Angst, Papa.

Ich finde, du solltest ihn nicht anfassen.

Vielleicht könnten wir ihm etwas zu essen geben.

Er wandte den Blick ab, ließ ihn die Straße hinuntergehen. Verdammt, flüsterte er. Er schaute auf den Alten hinab. Vielleicht würde er sich in einen Gott und sie in Bäume verwandeln. Na gut, sagte er.

Er löste die Plane, schlug sie zurück, durchwühlte die Konservendosen, förderte eine Dose Obstsalat zutage, zog den Dosenöffner aus der Tasche, öffnete die Dose, klappte den Deckel zurück, ging zu dem Jungen hinüber, hockte sich neben ihm nieder und reichte sie ihm.

Wie steht's mit einem Löffel?

Einen Löffel kriegt er nicht.

Der Junge nahm die Dose und reichte sie dem Alten. Nehmen Sie das, flüsterte er. Hier.

Der Alte hob den Blick und sah den Jungen an. Der Junge hielt ihm die Dose hin. Er wirkte wie jemand, der einen am Straßenrand liegengebliebenen Geier zu füttern versucht. Nur zu, sagte er.

Der Alte nahm die Hand vom Kopf. Er blinzelte. Graublaue Augen, halb zwischen den dünnen, schmutzigen Falten seines Gesichts verborgen.

Nehmen Sie das, sagte der Junge.

Der Alte griff mit seinen knochigen Krallen nach der Dose und drückte sie sich an die Brust.

Essen Sie das, sagte der Junge. Es ist gut. Er deutete mit den Händen Kippbewegungen an. Der Alte senkte den Blick auf die Dose. Er packte sie fester, hob sie, zog die Nase kraus. Seine langen gelben Klauen kratzten über das Metall. Dann kippte er die Dose und trank. Der Saft rann ihm durch den schmutzigen Bart. Er senkte die Dose, kaute mühsam. Beim Schlucken ruckte er mit dem Kopf. Sieh mal, Papa, flüsterte der Junge.

Ich sehe es, sagte der Mann.

Der Junge drehte sich zu ihm um und sah ihn an.

Ich weiß, was du fragen willst, sagte der Mann. Die Antwort lautet nein.

Was will ich denn fragen?

146

Ob er bei uns bleiben kann. Er kann nicht.

Ich weiß.

So?

Ja.

Na gut.

Können wir ihm noch etwas geben?

Warten wir erst mal ab, wie er damit zurechtkommt.

Sie sahen ihm beim Essen zu. Als er fertig war, behielt er die leere Dose in der Hand und schaute hinein, als könnte darin noch mehr zum Vorschein kommen.

Was willst du ihm geben?

Was meinst du denn, was er bekommen soll?

Ich finde, er soll gar nichts bekommen. Was willst du ihm geben?

Wir könnten mit dem Kocher etwas heiß machen. Er könnte mit uns essen.

Du sprichst vom Haltmachen. Für die Nacht.

Ja.

Er blickte auf den alten Mann hinab, dann zur Straße. Na gut, sagte er. Aber morgen gehen wir dann weiter.

Der Junge gab keine Antwort.

Auf mehr lasse ich mich nicht ein.

Okay.

Okay heißt okay. Es heißt nicht, dass wir morgen eine neue Vereinbarung aushandeln.

Was heißt aushandeln?

Aushandeln heißt weiter darüber reden und irgendeine andere Vereinbarung treffen. Es gibt keine andere Vereinbarung. Dabei bleibt es.

Okay.

Okay.

Sie halfen dem Alten auf und reichten ihm seinen Stock. Er wog keine fünfzig Kilo. Er stand da und blickte sich unsicher um. Der Mann nahm ihm die Dose aus der Hand und warf sie in den Wald. Der Alte versuchte, ihm den Stock zu geben, aber er schob ihn weg. Wann haben Sie zuletzt gegessen?

Ich weiß nicht.

Sie erinnern sich nicht.

Ich habe gerade eben gegessen.

Möchten Sie mit uns essen?

Ich weiß nicht.

Sie wissen es nicht?

Was denn essen?

Vielleicht Rinderragout. Mit Kräckern. Und Kaffee.

Was muss ich dafür tun?

Uns sagen, wohin die Welt verschwunden ist.

Was?

Sie müssen gar nichts tun. Können Sie einigermaßen gehen?

Ich kann gehen.

Er blickte auf den Jungen herab. Bist du ein kleiner Junge?, fragte er.

Der Junge sah seinen Vater an.

Wonach sieht er denn aus?, sagte sein Vater.

Ich weiß nicht. Ich sehe nicht gut.

Können Sie mich sehen?

Ich kann erkennen, dass da jemand ist.

Gut. Wir müssen gehen. Er sah den Jungen an. Lass seine Hand los, sagte er.

Er kann nichts sehen.

Lass seine Hand los. Gehen wir.

Wo gehen wir hin?, fragte der Alte.

Wir gehen etwas essen.

Der Alte nickte, streckte die Hand mit dem Stock aus und klopfte damit vorsichtig auf die Straße.

Wie alt sind Sie?

Ich bin neunzig.

Von wegen.

Okay.

Erzählen Sie das den Leuten?

Welchen Leuten?

Irgendwelchen Leuten.

Glaub schon.

Damit sie Ihnen nichts tun?

Ja.

Funktioniert das?

Nein.

Was haben Sie in Ihrem Rucksack?

Nichts. Sie können nachsehen.

Ich weiß, dass ich nachsehen kann. Was haben Sie da drin?

Nichts. Bloß irgendwelchen Kram.

Nichts zu essen?

Nein.

Wie heißen Sie?

Ely.

Und wie noch?

Reicht Ely nicht?

Doch. Gehen wir.

Sie biwakierten im Wald, an einer Stelle, die nach seinem Da-fürhalten viel zu nahe an der Straße lag. Er musste den Wagen ziehen, während der Junge von hinten lenkte. Sie machten ein Feuer, damit sich der Alte aufwärmen konnte, und auch das passte ihm nicht. Beim Essen saß der Alte, in seine einzige

Decke gehüllt, auf der Erde und hielt den Löffel wie ein Kind. Sie hatten nur zwei Becher, und er trank seinen Kaffee aus der Schale, aus der er gegessen hatte, die Daumen über den Rand gehakt. Saß da wie ein ausgehungerter, zerlumpter Buddha und starrte in die Glut.

Sie können nicht mit uns gehen, das wissen Sie, sagte der Mann.

Der Alte nickte.

Wie lange sind Sie schon unterwegs?

Ich war immer unterwegs. Man kann nicht an einem Ort bleiben.

Wovon leben Sie?

Ich mache einfach immer weiter. Ich habe gewusst, dass das passieren würde.

Sie haben gewusst, dass das passieren würde?

Ja, das oder so was Ähnliches. Davon war ich immer überzeugt.

Haben Sie versucht, sich darauf vorzubereiten?

Nein. Wie würden Sie das denn anstellen?

Ich weiß nicht.

Die Leute haben sich ständig auf das Morgen vorbereitet. Das hat mir nie eingeleuchtet. Das Morgen hat sich doch auch nicht auf sie vorbereitet. Es hat ja gar nichts von ihnen gewusst.

Wahrscheinlich haben Sie recht.

Selbst wenn man wüsste, was man tun soll, würde man es nicht wissen. Man würde nicht wissen, ob man es tun will oder nicht. Angenommen, man wäre der Letzte, der übrig ist? Angenommen, man würde sich das wirklich antun?

Wünschten Sie, Sie würden sterben?

Nein. Aber vielleicht wünschte ich, ich wäre gestorben. Wenn man am Leben ist, hat man das immer vor sich.

Vielleicht wünschten Sie ja auch, Sie wären nie geboren worden.

Tja. Bettler und Borger dürfen nicht wählerisch sein.

Sie meinen, das wäre zu viel verlangt?

Was geschehen ist, ist geschehen. Außerdem ist es dumm, in Zeiten wie diesen Wohltaten zu verlangen.

Da haben Sie vermutlich recht.

Niemand will da sein, und niemand will abtreten. Er hob den Kopf und blickte über das Feuer hinweg auf den Jungen. Dann sah er den Mann an. Der Mann konnte die kleinen Augen sehen, die ihn im Feuerschein beobachteten. Der Himmel wusste, was diese Augen sahen. Er stand auf, um mehr Holz auf das Feuer zu häufen, und scharrte die Glut vom toten Laub weg. In einem Schauer stoben die roten Funken auf und erstarben in der Schwärze über ihnen. Der Alte trank seinen Kaffee aus, stellte die Schale vor sich hin und beugte sich mit ausgestreckten Händen der Hitze entgegen. Der Mann beobachtete ihn. Woher würde man wissen, dass man der letzte Mensch auf der Erde ist?, fragte er.

Man würde es wahrscheinlich gar nicht wissen. Man wäre es bloß.

Keiner würde es wissen.

Das würde keinen Unterschied machen. Wenn man stirbt, ist das genauso, wie wenn auch alle anderen sterben.

Gott würde es wahrscheinlich wissen. Ist es das?

Es gibt keinen Gott.

Nein?

Es gibt keinen Gott, und wir sind seine Propheten.

Ich verstehe nicht, wieso Sie noch am Leben sind. Wovon ernähren Sie sich?

Ich weiß nicht.

Das wissen Sie nicht?

Die Leute geben einem was.

Die Leute geben einem was.

Ja.

Was zu essen.

Zu essen. Ja.

Von wegen.

Sie haben es doch auch getan.

Nein, habe ich nicht. Das war der Junge.

Auf der Straße gibt es noch andere Leute. Ihr seid nicht die Einzigen.

Sind Sie der Einzige?

Der Alte beäugte ihn wachsam. Wie meinen Sie das?, fragte er.

Gehören Sie zu irgendwelchen Leuten?

Was für Leute?

Irgendwelche Leute.

Es gibt keine Leute. Wovon reden Sie eigentlich?

Ich rede von Ihnen. Davon, als was Sie sich möglicherweise betätigen.

Der Alte gab keine Antwort.

Ich vermute, Sie wollen mit uns gehen.

Mit euch gehen?

Ja.

Ihr nehmt mich doch gar nicht mit.

Sie wollen also nicht.

Ich wäre nicht mal bis hierher mitgekommen, aber ich hatte Hunger.

Die Leute, die Ihnen zu essen gegeben haben. Wo sind die?

Es gibt keine Leute. Das habe ich erfunden.

Was haben Sie noch erfunden?

Ich bin einfach nur unterwegs, genau wie ihr. Da gibt es keinen Unterschied.

Heißen Sie wirklich Ely?

Nein.

Sie wollen Ihren Namen nicht sagen?

Nein, will ich nicht.

Wieso?

Ich traue Ihnen damit nicht. Dass Sie ihn für sich behalten. Ich will nicht, dass irgendwer über mich redet. Sagt, wo ich war oder was ich an dem betreffenden Ort gesagt habe. Sie könnten ja vielleicht über mich reden. Aber niemand könnte sagen, dass ich das war. Ich könnte sonstwer sein. Ich finde, in Zeiten wie diesen wird am besten so wenig wie möglich gesagt. Wenn was passiert wäre und wir wären Überlebende und hätten uns unterwegs kennengelernt, dann hätten wir etwas, worüber wir reden könnten. Aber das ist nicht der Fall. Also lassen wir's.

Ja, vielleicht.

Sie wollen es vor dem Jungen bloß nicht zugeben.

Und Sie sind nicht der Lockvogel für eine Bande von Wegelagerern?

Ich bin gar nichts. Ich gehe, wenn Sie wollen. Die Straße finde ich allein.

Sie müssen nicht gehen.

Ich habe schon lange kein Feuer mehr gesehen, das ist alles. Ich lebe wie ein Tier. Fragen Sie lieber nicht, was ich so alles esse. Als ich den Jungen gesehen habe, habe ich gedacht, ich wäre gestorben.

Sie haben geglaubt, er wäre ein Engel?

Ich wusste nicht, was er war. Ich hätte nie gedacht, dass ich nochmal ein Kind zu Gesicht bekomme. Ich wusste nicht, dass das passieren würde.

Und wenn ich nun sage, er ist ein Gott?

Der Alte schüttelte den Kopf. Über so was bin ich hinaus.

Schon seit Jahren. Wo keine Menschen leben können, ergeht es Göttern nicht besser. Das werden Sie schon noch sehen. Es ist besser, allein zu sein. Deshalb hoffe ich, es stimmt nicht, was Sie sagen, denn mit dem letzten Gott unterwegs zu sein wäre schrecklich, deshalb hoffe ich, es stimmt nicht. Wenn alle weg sind, wird alles besser.

Ach ja?

Na sicher.

Aber für wen?

Für alle.

Für alle.

Na sicher. Wir werden alle besser dran sein. Werden alle leichter atmen.

Das ist ja schön zu wissen.

Ist es auch. Wenn wir alle endlich weg sind, wird niemand mehr da sein außer dem Tod, und dessen Tage sind dann auch gezählt. Dann steht er da draußen auf der Straße, hat nichts zu tun und niemanden mehr, den er holen kann. Wo sind denn alle hin?, wird er sagen. Genau so wird das dann sein. Was ist dagegen einzuwenden?

Am Morgen standen sie auf der Straße, und er und der Junge stritten darüber, was sie dem Alten geben sollten. Am Ende bekam er nicht viel. Ein paar Dosen Gemüse und Obst. Schließlich trat der Junge einfach an den Straßenrand und setzte sich in die Asche. Der Alte verstaute die Dosen in seinem Rucksack und schnallte die Riemen fest. Eigentlich müssten Sie sich bei ihm bedanken, sagte der Mann. Ich hätte Ihnen nichts gegeben.

Vielleicht müsste ich das, vielleicht aber auch nicht.

Wieso nicht?

Von mir hätte er auch nichts gekriegt.

Dass Sie ihn kränken, ist Ihnen egal?

Kränkt ihn das denn?

Nein. Deswegen hat er es nicht getan.

Warum denn dann?

Der Blick des Mannes ging hinüber zu dem Jungen und wieder zurück zu dem Alten. Sie würden es ja doch nicht verstehen, sagte er. Ich weiß nicht mal genau, ob ich es verstehe.

Vielleicht glaubt er an Gott.

Ich weiß nicht, woran er glaubt.

Er wird schon darüber hinwegkommen.

Nein.

Der Alte gab keine Antwort. Er blickte sich um.

Glück wünschen Sie uns wohl auch nicht, oder?, fragte der Mann.

Ich weiß gar nicht, wozu das gut sein sollte. Wie Glück überhaupt aussieht. Wer würde so was überhaupt erkennen?

Sie gingen weiter. Als er zurückblickte, hatte der Alte sich mit seinem Stock in Bewegung gesetzt und wurde, während er sich damit seinen Weg ertastete, auf der Straße hinter ihnen immer kleiner, wie ein Hausierer in einem Märchenbuch aus alter Zeit, dunkel, gebeugt und spinnendürr, um bald für immer zu verschwinden. Der Junge blickte nicht zurück.

Am frühen Nachmittag breiteten sie ihre Plane auf der Straße aus und aßen kalt zu Mittag. Der Mann beobachtete ihn. Redest du mit mir?, fragte er.

Ja.

Aber froh bist du nicht.

Ich bin okay.

Wenn wir nichts mehr zu essen haben, wirst du mehr Zeit haben, darüber nachzudenken.

Der Junge gab keine Antwort. Sie aßen. Er schaute in die Richtung, aus der sie gekommen waren. Nach einer Weile sagte er: Ich weiß. Aber ich werde es anders in Erinnerung behalten als du.

Wahrscheinlich.

Ich habe nicht gesagt, dass du unrecht hast.

Auch wenn du es gedacht hast.

Schon okay.

Ja, sagte der Mann. Tja. Auf der Straße gibt es nicht viel Erfreuliches. In Zeiten wie diesen.

Du solltest dich nicht über ihn lustig machen.

Okay.

Er wird sterben.

Ich weiß.

Können wir jetzt weitergehen?

Ja, sagte der Mann. Wir können weitergehen.

Im kalten Dunkel der Nacht wachte er hustend auf, und er hustete, bis seine Brust schmerzte. Er beugte sich zum Feuer hin, blies in die Glut, legte Holz nach, stand auf und entfernte sich so weit vom Lagerplatz, wie das Licht es ihm erlaubte. Die Decke um die Schultern gelegt, kniete er in trockenem Laub und Asche, und nach einer Weile ließ der Husten nach. Er dachte an den Alten, der jetzt irgendwo da draußen war. Zwischen dem schwarzen Pfahlwerk der Bäume hindurch blickte er zum Lagerplatz zurück. Er hoffte, der Junge war wieder eingeschlafen. Die Hände auf den Knien, verharrte er leise ächzend. Ich werde sterben, sagte er. Verrate mir, wie ich das machen soll.

Am folgenden Tag marschierten sie, bis es fast dunkel war. Er fand keinen sicheren Platz, an dem sie ein Feuer hätten machen können. Als er die Gasflasche vom Wagen hob, kam sie ihm leicht vor. Er setzte sich und drehte am Ventil, das jedoch schon geöffnet war. Er drehte den kleinen Knopf am Brenner. Nichts. Er beugte sich vor und lauschte. Erneut betätigte er beide Ventile einzeln und zusammen. Die Flasche war leer. Mit geschlossenen Augen, beide Hände vor der Stirn zu einer einzigen Faust verschränkt, hockte er auf dem Boden. Nach einer Weile hob er den Kopf, saß einfach nur da und starrte in den kalten, sich verdunkelnden Wald.

Ihr kaltes Abendessen bestand aus Maisbrot, Bohnen und Würstchen aus der Dose. Der Junge fragte ihn, wieso die Flasche so schnell leer geworden sei, und er antwortete, es sei eben so.

Du hast gesagt, sie würde wochenlang reichen.

Ich weiß.

Aber es sind erst ein paar Tage vorbei.

Ich habe mich eben geirrt.

Sie aßen stumm. Nach einer Weile sagte der Junge: Ich habe vergessen, das Ventil zuzudrehen, stimmt's?

Es ist nicht deine Schuld. Ich hätte das überprüfen müssen.

Der Junge stellte seinen Teller auf die Plane. Er wandte den Blick ab.

Es ist nicht deine Schuld. Man muss beide Ventile zudrehen. Eigentlich hätte man die Leitungen mit Teflonband abkleben müssen, damit kein Gas austritt, und das habe ich nicht getan. Es ist meine Schuld. Ich habe dir das nicht gesagt.

Es gab doch gar kein Teflonband, oder?

Es ist nicht deine Schuld.

Sie stapften weiter, abgemagert und verdreckt wie Süchtige von der Straße. Gegen die Kälte bis über den Kopf in ihre Decken gehüllt, ihren Atem wie Rauch vor dem Mund, schlurften sie durch die seidig schwarzen Verwehungen. Sie überquerten die breite Küstenebene, wo der ewige Wind sie mit heulenden Aschewolken zwang, Deckung zu suchen, wo immer sie konnten. In Häusern oder Scheunen oder an der Böschung eines Straßengrabens, die Decken über die Köpfe gezogen, der Mittagshimmel schwarz wie die Kerker der Hölle. Er hielt den bis ins Mark frierenden Jungen an sich gedrückt. Verlier nicht den Mut, sagte er. Wir schaffen das schon.

Das Land war zerfurcht, erodiert und öde. In den Auswaschungen verstreut die Knochen toter Geschöpfe. Haufen unbestimmbaren Mülls. In den Feldern Farmhäuser, ihr Anstrich abgescheuert, die Schindeln verzogen und von der Verlattung abgeplatzt. Alles schatten- und gesichtslos. Die Straße verlief leicht abschüssig durch einen Dschungel von totem Kudzu. Ein Sumpf, wo das tote Röhricht auf dem Wasser lag. Jenseits des Randes der Felder hing der trübe Schleier gleichermaßen über Erde und Himmel. Am Spätnachmittag hatte es zu schneien begonnen, und sie gingen weiter, die Plane über die Köpfe gezogen, während der nasse Schnee auf dem Plastik leise zischte.

Er hatte seit Wochen wenig geschlafen. Als er am Morgen erwachte, war der Junge nicht da, und er setzte sich auf, den Revolver in der Hand, erhob sich dann vollends und schaute sich um, aber das Kind war nirgends zu sehen. Er zog sich die

Schuhe an und trat an den Saum des Gehölzes. Im Osten trübe Dämmerung. Die fremdartige Sonne am Beginn ihrer kalten Bahn. Er sah den Jungen über die Felder angerannt kommen. Papa, rief er. Im Wald ist ein Zug.

Ein Zug?

Ja.

Ein richtiger Zug?

Ja. Komm.

Du bist aber nicht nahe rangegangen, oder?

Nein, nur ein bisschen. Komm.

Es ist niemand da?

Nein. Glaube ich jedenfalls nicht. Ich wollte dich holen.

Gibt es auch eine Lokomotive?

Ja. Eine große Diesellok.

Sie überquerten das Feld und betraten den Wald auf der anderen Seite. Die Gleise kamen auf einem Damm aus dem Landesinneren und verliefen durch den Wald. Der Zug bestand aus einer dieselelektrischen Lokomotive, an die acht Passagierwaggons aus rostfreiem Stahl angekuppelt waren. Er nahm den Jungen bei der Hand. Setzen wir uns erst mal hin und beobachten alles, sagte er.

Sie setzten sich auf die Böschung und warteten. Nichts rührte sich. Er gab dem Jungen den Revolver. Nimm du ihn, Papa, sagte der Junge.

Nein. So war das nicht abgemacht. Du nimmst ihn.

Der Junge nahm den Revolver und legte ihn sich in den Schoß, und der Mann ging am Bahndamm entlang und betrachtete den Zug. Er überquerte die Gleise und schritt den

Zug in ganzer Länge ab. Als er hinter dem letzten Wagen hervorkam, winkte er den Jungen zu sich, und dieser stand auf und steckte sich den Revolver in den Gürtel.

Alles war mit Asche bedeckt. Die Gänge zwischen den Sitzen mit Abfall übersät. Auf den Sitzen lagen aufgeklappte Koffer, die schon vor langer Zeit von den Gepäcknetzen gehoben und geplündert worden waren. Im Speisewagen fand er einen Stapel Pappteller, pustete den Staub davon weg, steckte sie in seinen Parka, und das war alles.

Wie ist der hierhergekommen, Papa?

Ich weiß nicht. Irgendwer ist wohl damit in Richtung Süden gefahren. Eine Gruppe von Leuten. Und hier ist ihnen wahrscheinlich der Treibstoff ausgegangen.

Steht er schon lange hier?

Ja. Ich glaube schon. Ziemlich lange.

Am Ende des letzten Waggons angelangt, gingen sie am Gleis entlang zur Lokomotive zurück und kletterten auf den Steg. Sie schoben sich in den Führerstand, er blies die Asche vom Sitz des Lokführers und setzte den Jungen vor das Führerpult. Das Führerpult war sehr schlicht. Kaum mehr zu tun, als den Handgashebel nach vorn zu schieben. Er machte Zug- und Signalhorngeräusche, ohne jedoch recht zu wissen, was der Junge damit verband. Nach einer Weile schauten sie einfach durch das verschmutzte Glas nach draußen, wo sich die Gleise in einem Bogen in der Ödnis des Unkrauts verloren. Sie mochten verschiedene Welten sehen, doch was sie wussten, war dasselbe. Dass der Zug für alle Ewigkeit hier stehen und verrotten und dass nie wieder ein Zug fahren würde.

Können wir jetzt gehen, Papa?
Ja. Natürlich.

Von Zeit zu Zeit stießen sie nun auf kleine, am Straßenrand
errichtete Steinhaufen. Es handelte sich um Zeichen in Zi-
geunersprache, vergessene Wegmarken. Die ersten, die er seit
einer ganzen Weile gesehen hatte: im Norden durchaus ver-
breitet, führten sie aus den geplünderten und ausgepowerten
Städten hinaus, hoffnungslose Botschaften an geliebte Menschen, die vermisst und tot waren. Zu diesem Zeitpunkt waren sämtliche Nahrungsmittelvorräte erschöpft, und überall
im Land griff Mord um sich. Die Welt alsbald fast nur noch
von Menschen bevölkert, die Kinder vor den Augen ihrer El-
tern auffressen würden, und die Städte selbst beherrscht von
Banden rußgeschwärzter Plünderer, die sich zwischen den
Ruinen hindurchwühlten und, weiß von Zahn und Auge, aus
dem Schutt gekrochen kamen, in den Händen Nylonnetze
mit verkohlten, unbestimmbaren Konservendosen, wie Ein-
kaufende in den Läden der Hölle. Der weiche schwarze Puder
wehte durch die Straße wie die sich wölkende Tinte eines Kal-
mars am Meeresboden, die Kälte kroch herab, die Dunkelheit
brach früh herein, und die Aasfresser, die mit ihren Fackeln
durch die steilen Canyons schnürten, traten seidenweiche
Löcher in die Ascheverwehungen, die sich still wie Augen
hinter ihnen schlossen. Draußen auf den Straßen sanken die
Pilger zu Boden oder stürzten hin und starben, und die öde,
verhüllte Erde trudelte ebenso spurlos und unvermerkt an der
Sonne vorbei und wieder zurück wie irgendeine namenlose
Schwesterwelt auf ihrer Bahn in der alten Dunkelheit dahinter.

Lange bevor sie die Küste erreichten, waren ihre Vorräte nahezu aufgebraucht. Das Land war schon vor Jahren ausgeraubt und geplündert worden, und in den Häusern und Gebäuden am Straßenrand gab es nichts. In einer Tankstelle fand er ein Telefonbuch und schrieb mit einem Bleistift den Namen der Stadt auf ihre Karte. Sie saßen vor dem Gebäude auf dem Bordstein, aßen Kräcker und suchten die Stadt, konnten sie aber nicht finden. Er suchte noch einmal auf sämtlichen Kartenteilen. Schließlich zeigte er es dem Jungen. Sie befanden sich ungefähr achtzig Kilometer westlich von dem Ort, an dem er sie vermutet hatte. Er zeichnete Strichmännchen auf die Karte. Das sind wir, sagte er. Der Junge zog mit dem Finger die Strecke bis zum Meer nach. Wie lange werden wir bis dorthin brauchen?, fragte er.

Zwei Wochen. Drei.

Ist es blau?

Das Meer? Ich weiß nicht. Früher war's das jedenfalls.

Der Junge nickte. Er saß da und betrachtete die Karte. Der Mann sah ihm dabei zu. Er meinte zu wissen, worum es dem Jungen dabei ging. Auch er hatte als Kind über Karten gebrütet, einen Finger immer auf der Stadt, in der er wohnte. So wie er auch seine Familie im Telefonbuch nachgeschlagen hatte. Sie selbst unter anderen, alles an seinem Platz. Als Existenzen gerechtfertigt. Na komm, sagte er. Wir sollten gehen.

Am Spätnachmittag begann es zu regnen. Sie waren von der Straße auf eine ungepflasterte Zufahrt durch ein Feld abgebogen und verbrachten die Nacht in einem Schuppen. Der Schuppen hatte einen Betonboden, und am hinteren Ende standen ein paar leere Stahltonnen. Damit blockierte er die Tür, machte auf dem Boden ein Feuer und improvisierte aus ein paar flachgedrückten Kartons zwei Schlafstellen. Der Regen trommelte die ganze Nacht auf das Blechdach. Als er aufwachte, war das Feuer niedergebrannt, und es war sehr kalt. Der Junge hatte sich, in seine Decke gehüllt, aufgesetzt.

Was ist denn?

Nichts. Ich hatte einen schlimmen Traum.

Wovon hast du denn geträumt?

Von nichts.

Bist du okay?

Nein.

Er legte die Arme um ihn und hielt ihn fest. Es ist okay, sagte er.

Ich habe geweint. Aber du bist nicht aufgewacht.

Tut mir leid. Ich war einfach todmüde.

Nein, ich meine in dem Traum.

Als er am nächsten Morgen aufwachte, hatte es aufgehört zu regnen. Er lauschte dem trägen Tropfen des Wassers. Er wälzte sich auf dem harten Beton zur Seite und schaute zwischen den Brettern hindurch auf das graue Land. Der Junge schlief noch. Wasser tropfte auf den Boden und bildete Pfützen. Kleine Bläschen erschienen und verschwanden nach kurzem Dahingleiten wieder. In einer Stadt am Fuße des Gebirges hatten sie auch an einem solchen Ort geschlafen und dem Regen gelauscht. Dort hatte es einen altmodischen Drugstore gegeben, mit schwarzer Marmortheke und Hockern mit Chromgestell und ramponierter, mit Isolierband geflickter Sitzfläche. Die Apotheke war geplündert, der Laden selbst aber merkwürdigerweise intakt. Teure elektronische Geräte standen unversehrt in den Regalen. Er stand da und betrachtete alles. Gemischtwaren. Kurzwaren. Was ist das? Er nahm den Jungen bei der Hand und führte ihn hinaus, doch der Junge hatte es bereits gesehen. Ein Menschenkopf unter einer Kuchenglocke am Ende des Tresens. Ausgedörrt. Mit einer Schirmmütze. Vertrocknete, traurig nach innen gerichtete Augen. Träumte er das? Nein. Er stand auf, kniete sich vor die Glut, blies hinein, schob die angebrannten Bretterstücke darauf und brachte das Feuer in Gang.

Es gibt noch andere Gute. Das hast du selbst gesagt.

Ja.

Und wo sind sie?

Sie verstecken sich.

Vor wem?

Voreinander.

Gibt es viele von ihnen?

Das wissen wir nicht.

Aber einige schon.

Einige. Ja.

Stimmt das?

Ja. Das stimmt.

Aber vielleicht stimmt es auch nicht.

Ich denke, es stimmt.

Okay.

Du glaubst mir nicht.

Doch, ich glaube dir.

Okay.

Ich glaube dir immer.

Das glaube ich nicht.

Doch, das tue ich. Das muss ich.

Sie marschierten durch den Schlamm zurück zum Highway. Im Regen Geruch nach Erde und feuchter Asche. Im Straßengraben dunkles Wasser. Das aus einem eisernen Leitungsrohr in einen Gumpen plätscherte. In einem Garten ein Plastikreh. Spät am folgenden Tag gelangten sie in eine kleine Stadt, wo drei Männer hinter einem Lastwagen hervortraten und sich vor ihnen auf der Straße aufbauten. Ausgemergelt, in Lumpen gekleidet. In den Händen Rohrstücke. Was habt ihr in dem Wagen? Er richtete den Revolver auf sie. Sie blieben stehen. Der Junge klammerte sich an seine Jacke. Niemand sagte ein Wort. Er schob den Wagen weiter, und die Männer wichen zur Straßenseite aus. Er ließ den Jungen den Wagen übernehmen und ging rückwärts, den Revolver auf die Männer gerichtet. Er versuchte, wie ein gewöhnlicher umherziehender Killer auszusehen, aber sein Herz hämmerte, und er wusste, er würde gleich zu husten anfangen. Die Männer schoben sich wieder in die Straßenmitte und sahen ihnen nach. Er steckte den Revolver in den Gürtel, drehte sich um und übernahm den Wagen. Als er auf dem höchsten Punkt der Erhebung zurückblickte, standen sie immer noch da. Er sagte dem Jungen, er solle den Wagen weiterschieben, und ging durch einen Vorgarten bis zu einer Stelle, von der aus er die Straße überblicken konnte, doch nun waren sie verschwunden. Der Junge hatte furchtbare Angst. Der Mann legte den Revolver auf die Plane, übernahm den Wagen, und sie gingen weiter.

Sie lagen bis zum Einbruch der Dunkelheit auf einer Wiese und beobachteten die Straße, doch es kam niemand. Es war sehr kalt. Als es so dunkel war, dass sie nichts mehr sehen konnten, holten sie den Wagen, stolperten zurück auf die Straße, er nahm die Decken heraus, sie wickelten sich darin ein und gingen weiter. Ertasteten den Asphalt unter ihren Füßen. Ein Rad des Wagens hatte rhythmisch zu quietschen begonnen, aber dagegen war nichts zu machen. Sie schleppten sich noch einige Stunden weiter, dann kämpften sie sich durch das Gestrüpp am Straßenrand, legten sich zitternd und erschöpft auf den kalten Boden und schliefen, bis es Tag wurde. Als er aufwachte, war er krank.

Er hatte Fieber bekommen, und sie lagen im Wald wie Flüchtlinge. Keine Stelle, an der man ein Feuer hätte machen können. Kein sicherer Platz. Der Junge saß im Laub, den Blick auf ihn gerichtet. Seine Augen schwammen. Stirbst du, Papa?, fragte er. Stirbst du?

Nein. Ich bin bloß krank.

Ich habe richtig Angst.

Ich weiß. Keine Sorge. Mir geht es bald wieder besser. Du wirst sehen.

Seine Träume hellten sich auf. Die verschwundene Welt kehrte wieder. Längst gestorbene Verwandte fanden sich ein und bedachten ihn mit geisterhaften Seitenblicken. Keiner sagte etwas. Er dachte an sein Leben. So lange her. Ein grauer Tag in einer Stadt im Ausland, wo er an einem Fenster gestanden und auf die Straße darunter geschaut hatte. Hinter ihm auf einem Holztisch brannte eine kleine Lampe. Auf dem Tisch Bücher und Papiere. Es hatte angefangen zu regnen, und eine Katze an der Ecke drehte sich um, überquerte den Bürgersteig und setzte sich unter die Markise des Cafés. An einem Tisch saß eine Frau, den Kopf in die Hände gestützt. Jahre später hatte er in der verkohlten Ruine einer Bibliothek gestanden, wo geschwärzte Bücher in Wasserpfützen lagen. Umgekippte Regale. Irgendein Zorn auf die zu Tausenden in Reihen angeordneten Lügen. Er hob eines der Bücher auf und durchblätterte die schweren, aufgequollenen Seiten. Er hätte nicht gedacht, dass der Wert des geringsten Gegenstandes eine künftige Welt voraussetzte. Das überraschte ihn. Dass der Raum, den diese Gegenstände einnahmen, selbst schon eine Erwartung war. Er ließ das Buch fallen, warf einen letzten Blick in die Runde und ging hinaus in das kalte graue Licht.

Drei Tage. Vier. Er schlief schlecht. Der quälende Husten weckte ihn. Rasselndes Luftholen. Tut mir leid, sagte er zu der erbarmungslosen Dunkelheit. Ist schon okay, sagte der Junge.

Er schaffte es, die kleine Petroleumlampe anzuzünden, stellte sie auf einen Felsbrocken, stand auf und schlurfte, in seine Decken gehüllt, durch das Laub los. Der Junge bat ihn flüsternd, nicht zu gehen. Nur ein kleines Stück, sagte er. Nicht weit. Ich höre dich, wenn du rufst. Falls der Wind die Lampe ausblies, würde er nicht zurückfinden. Oben auf dem Hügel setzte er sich ins Laub und blickte in die Schwärze. Nichts zu sehen. Kein Wind. Früher hatte er, wenn er so losmarschiert war und auf das Land hinausgeblickt hatte, das, wo der verlorene Mond die verätzte Einöde nachzeichnete, in gerade noch erahnbarer Gestalt vor ihm lag, manchmal ein Licht gesehen. Trübe und formlos in der Düsternis. Am anderen Ufer eines Flusses oder tief in den geschwärzten Quadranten einer verbrannten Stadt. Am Morgen war er dann manchmal mit dem Fernglas zurückgekehrt und hatte die Landschaft nach Anzeichen von Rauch abgesucht, aber nie welche gesehen.

Er stand am Rand eines Winterfeldes unter rauen Männern. So alt wie der Junge jetzt. Ein bisschen älter. Er sah zu, wie sie mit Spitz- und Breithacken den felsigen Hangboden aufgruben und einen großen, vielleicht hundert Tiere zählenden Klumpen Schlangen zutage förderten. Die sich, gemeinsame Wärme suchend, dort zusammengefunden hatten. Die glanzlosen Schläuche ihrer Leiber begannen sich im kalten, harten Licht träge zu bewegen. Wie die dem Tag ausgesetzten Eingeweide eines großen Tiers. Die Männer überschütteten sie mit Benzin und verbrannten sie bei lebendigem Leibe, denn sie wussten kein Mittel gegen das Böse, nur gegen sein Abbild, wie sie es wahrnahmen. Die brennenden Schlangen wanden sich schrecklich, und einige krochen brennend über den Boden der Höhle und erleuchteten deren dunklere Nischen. Da sie stumm waren, hörte man keine Schmerzensschreie, und ebenso stumm sahen die Männer zu, wie sie brannten, sich krümmten und schwärzten, und stumm liefen sie, jeder mit seinen eigenen Gedanken, in der Winterdämmerung auseinander, um zum Abendessen nach Hause zu gehen.

Eines Nachts wachte der Junge aus einem Traum auf und wollte ihm nicht sagen, worum es darin gegangen war.

Du musst es mir nicht sagen, sagte der Mann. Das ist schon in Ordnung.

Ich habe Angst.

Jetzt ist alles wieder gut.

Nein, ist es nicht.

Es war bloß ein Traum.

Ich habe richtig Angst.

Ich weiß.

Der Junge wandte sich ab. Der Mann nahm ihn in die Arme. Hör mir zu, sagte er.

Was denn?

Wenn deine Träume von einer Welt handeln, die es nie gegeben hat oder nie geben wird, und du wieder glücklich bist, dann hast du aufgegeben. Verstehst du? Und du darfst nicht aufgeben. Das lasse ich nicht zu.

Als sie wieder aufbrachen, war er sehr schwach und ungeachtet seiner Reden so mutlos wie seit Jahren nicht mehr. Vom Durchfall verschmutzt, auf die Griffstange des Wagens gestützt. Mit seinen tief eingesunkenen Augen betrachtete er den Jungen. Zwischen ihnen herrschte eine neue Distanz. Er konnte sie spüren. Zwei Tage später stießen sie auf einen von Feuerstürmen verheerten Landstrich, Kilometer auf Kilometer verbrannten Geländes. Auf der Straße eine mehrere Zentimeter dicke Aschenkruste, mit dem Wagen schwer zu begehen. Der Asphalt darunter hatte sich in der Hitze gewellt und dann wieder gesetzt. Er stützte sich auf den Griff und blickte die lange Gerade ihres Weges entlang. Die dünnen Bäume umgestürzt. Die Gewässer grauer Schlamm. Ein geschwärztes, skelettiertes Land.

In dieser Wildnis stießen sie hinter einer Kreuzung immer wieder auf die schon vor Jahren auf der Straße zurückgelassenen Besitztümer von Leuten, die hier unterwegs gewesen waren. Kartons und Tüten. Alles geschmolzen und schwarz.

Alte Plastikkoffer, von der Hitze verformt. Hier und da Abdrücke von Dingen, die Aasfresser aus dem Teer gerissen hatten. Anderhalb Kilometer weiter stießen sie dann auf die Toten. Halb in den Asphalt eingesunkene Gestalten, die Arme um sich geschlagen, der Mund zu einem Schrei aufgerissen. Er legte dem Jungen die Hand auf die Schulter. Nimm meine Hand, sagte er. Ich finde nicht, dass du das sehen solltest.

Was man in seinen Kopf hineinlässt, bleibt für immer dort?

Ja.

Es ist schon okay, Papa.

Wirklich?

Sie sind schon dort.

Ich möchte nicht, dass du hinsiehst.

Sie werden trotzdem dort sein.

Er blieb stehen und stützte sich auf den Wagen. Sein Blick ging die Straße entlang und dann zu dem Jungen. So merkwürdig unberührt.

Warum gehen wir nicht einfach weiter, sagte der Junge.

Ja. Okay.

Sie haben versucht zu flüchten, stimmt's, Papa?

Ja.

Warum sind sie nicht von der Straße runter?

Das konnten sie nicht. Alles hat gebrannt.

Sie suchten sich einen Weg zwischen den mumifizierten Gestalten hindurch. Die schwarze, straff über die Knochen gespannte Haut, die Gesichter aufgeplatzt und an den Schädeln verschrumpelt. Wie Opfer einer entsetzlichen Vakuumierung. Sie passierten sie schweigend, den stillen Korridor durch die wehende Asche entlang, wo sie sich im kalten Koagulat der Straße für immer abmühten.

Sie kamen durch einen vollständig niedergebrannten Weiler an der Straße. Ein paar Lagerbehälter aus Metall, ein paar stehengebliebene Kaminschächte aus geschwärztem Ziegelstein. In den Gräben standen graue Schlackepfützen aus geschmolzenem Glas, und über Kilometer lagen die blanken Stromleitungen in rostenden Strängen am Straßenrand. Er hustete bei jedem Schritt. Er sah, dass der Junge ihn beobachtete. Er war das, woran der Junge dachte. Wozu er auch allen Grund hatte.

Sie saßen auf der Straße und aßen übriggebliebenes Fladenbrot, das hart wie Keks war, und ihre letzte Dose Thunfisch. Er öffnete eine Dose Pflaumen, die sie zwischen sich hin- und hergehen ließen. Der Junge hob die Dose, trank den letzten Rest Saft, fuhr dann, die Dose im Schoß, mit dem Zeigefinger an der Innenseite entlang und leckte ihn ab.

Schneid dich nicht in den Finger, sagte der Mann.

Das sagst du immer.

Ich weiß.

Er sah dem Jungen zu, wie er den Dosendeckel ableckte. Ganz sorgfältig. Wie eine Katze, die ihr Spiegelbild in einem Glas ableckt. Hör auf, mich zu beobachten, sagte er.

Okay.

Der Junge bog den Deckel der Dose herunter und stellte sie vor ihn auf die Straße. Was ist?, fragte er. Was ist los?

Nichts.

Sag es mir.

Ich glaube, uns folgt jemand.

Das habe ich mir schon gedacht.

Das hast du dir schon gedacht?

Ja. Ich habe mir schon gedacht, dass du das sagen würdest. Was willst du machen?

Ich weiß nicht.

Was denkst du?

Gehen wir einfach weiter. Wir sollten unseren Abfall verstecken.

Weil sie sonst denken, wir haben viel zu essen.

Ja.

Und versuchen werden, uns umzubringen.

Sie werden uns nicht umbringen.

Aber vielleicht versuchen sie es.

Uns passiert schon nichts.

Okay.

Ich finde, wir sollten uns in die Büsche schlagen und auf sie warten. Mal sehen, wer sie sind.

Und wie viele.

Und wie viele. Ja.

Okay.

Wenn wir über den Bach kommen, könnten wir auf die Felsen dort steigen und die Straße beobachten.

Okay.

Wir finden schon eine passende Stelle.

Sie standen auf und stapelten ihre Decken im Wagen. Hol die Dose, sagte der Mann.

Die lange Dämmerung hatte längst eingesetzt, ehe die Straße den Bach überquerte. Sie trotteten über die Brücke und schoben den Wagen in den Wald hinein, um eine Stelle zu finden, wo sie ihn lassen konnten, ohne dass er gesehen wurde. Sie blieben stehen und schauten im Dämmerlicht zurück zur Straße.

Und wenn wir ihn unter die Brücke stellen?, fragte der Junge.

Und wenn sie runtergehen, um Wasser zu holen?

Was meinst du, wie weit hinter uns sie sind?

Ich weiß nicht.

Es wird dunkel.

Ich weiß.

Und wenn sie im Dunkeln an uns vorbeikommen?

Suchen wir uns einfach eine Stelle, von wo wir Ausschau halten können. Noch ist es nicht dunkel.

Sie versteckten den Wagen, stiegen, ihre Decken unter dem Arm, zwischen den Felsblöcken den Hang hinauf und bezogen an einer Stelle Posten, wo sie zwischen den Bäumen hindurch knapp einen Kilometer weit die Straße entlangsehen konnten. Sie waren vor dem Wind geschützt, wickelten sich in ihre Decken und hielten abwechselnd Ausschau, doch nach einer Weile schlief der Junge ein. Der Mann war selbst am Einschlafen, als er auf der Kuppe plötzlich eine Gestalt auftauchen und stehen bleiben sah. Gleich darauf tauchten zwei weitere auf. Dann eine vierte. Sie formierten sich zu einer Gruppe. Dann näherten sie sich. In der tiefen Dämmerung konnte er sie gerade noch ausmachen. Er dachte, sie würden womöglich bald haltmachen, und wünschte, er hätte einen Platz gesucht, der weiter von der Straße entfernt lag. Wenn sie an der Brücke haltmachten, würde es eine lange, kalte Nacht werden. Sie kamen die Straße entlang und gingen über die Brücke. Drei Männer und eine Frau. Die Frau hatte einen watschelnden Gang, und als sie näher kam, konnte er erkennen, dass sie schwanger war. Die Männer trugen Rucksäcke, die Frau eine kleine Stoffreisetasche. Alle vier unbeschreibliche Jammergestalten. Ihr Atem leise dampfend. Sie gingen über die Brücke, marschierten weiter die Straße entlang und verschwanden einer nach dem anderen in der wartenden Dunkelheit.

Es wurde ohnehin eine lange Nacht. Als es so hell war, dass er etwas sehen konnte, zog er seine Schuhe an, stand auf, hüllte sich in eine der Decken und ging zum Felsenrand, von wo aus er auf die Straße darunter schaute. Der kahle eisengraue Wald und die Felder dahinter. Noch immer schwach sichtbar das Wellenmuster alter Eggenfurchen. Baumwolle vielleicht. Der Junge schlief, und der Mann ging zum Wagen hinunter, holte die Landkarte, die Wasserflasche und eine Dose Obst aus ihren schmalen Vorräten, kam zurück und studierte, in Decken gewickelt, die Karte.

Du denkst immer, wir sind schon weiter, als wir in Wirklichkeit sind.

Er bewegte den Finger. Dann also hier.

Weiter.

Hier.

Okay.

Er faltete die schlaffen, verrottenden Seiten zusammen. Okay, sagte er.

Glaubst du, deine Vorväter sehen dir zu? Wägen dich in ihrem Hauptbuch? Wogegen? Es gibt kein Buch, und deine Vorväter liegen tot in der Erde.

Der Baumbewuchs ging von Kiefern zu immergrünen Eichen und Kiefern über. Magnolien. So tot wie alle anderen Bäume auch. Er hob eines der schweren Blätter auf, zerrieb es in der Hand zu Pulver und ließ das Pulver durch die Finger rieseln.

Am folgenden Tag schon früh unterwegs. Sie waren noch nicht weit gekommen, da zog ihn der Junge am Ärmel, und sie blieben stehen. Aus dem Wald vor ihnen stieg ein dünner Rauchfaden auf. Sie standen da und beobachteten ihn.

Was sollen wir tun, Papa?

Vielleicht mal nachsehen.

Gehen wir einfach weiter.

Und wenn sie denselben Weg nehmen wie wir?

Na und?, sagte der Junge.

Dann haben wir sie hinter uns. Ich wüsste gern, wer das ist.

Und wenn es eine Armee ist?

Es ist bloß ein kleines Feuer.

Warum warten wir nicht einfach?

Wir können nicht warten. Wir haben fast nichts mehr zu essen. Wir müssen weitergehen.

Sie ließen den Wagen im Wald stehen, und er überprüfte die Patronen in den Kammern der Revolvertrommel. Die hölzernen und die echte. Sie lauschten. Der Rauch stand senkrecht in der stillen Luft. Keinerlei Geräusch. Auf dem von den jüngsten Regenfällen weichen Laub waren ihre Schritte lautlos. Er drehte sich um und sah den Jungen an. Das kleine schmutzige Gesicht mit angstvoll geweiteten Augen. In einiger Entfernung schlugen sie einen Kreis um das Feuer, der Junge an seine Hand geklammert. Er ging in die Hocke, legte den Arm um ihn, und sie lauschten lange. Ich glaube, sie sind weg, flüsterte er.

Was?

Ich glaube, sie sind weg. Wahrscheinlich hat einer Schmiere gestanden.

Es könnte eine Falle sein, Papa.

Okay. Warten wir eine Weile.

Sie warteten. Zwischen den Bäumen hindurch konnten sie den Rauch sehen. Aufkommender Wind strich über die Hügelspitze, der Rauch drehte, und sie konnten ihn riechen. Außerdem rochen sie Gebratenes. Schlagen wir einen Kreis, sagte der Mann.

Kann ich dich bei der Hand halten?

Ja. Natürlich.

Der Wald bestand nur aus verbrannten Stämmen. Es war nichts zu sehen. Ich glaube, sie haben uns gesehen, sagte der Mann. Ich glaube, sie haben uns gesehen und sind abgehauen. Sie haben gesehen, dass wir einen Revolver haben. Sie haben ihr Essen zurückgelassen.

Ja.

Sehen wir's uns mal an.

Ich habe richtig Angst, Papa.

Da ist niemand. Keine Sorge.

Sie traten auf die kleine Lichtung, der Junge an seine Hand geklammert. Bis auf das schwarze Ding, das über der Glut auf einem Spieß steckte, hatten die Leute alles mitgenommen. Er stand da und schaute prüfend in die Runde, als der Junge sich zu ihm umdrehte und das Gesicht an seinem Körper vergrub. Mit raschem Blick versuchte er festzustellen, was passiert war. Was ist denn?, fragte er. Was ist denn? Der Junge schüttelte den Kopf. O Papa, sagte er. Der Mann sah genauer hin. Was der Junge gesehen hatte, war der verkohlte Leib eines Kleinkindes, ohne Kopf, ausgeweidet und auf dem Spieß langsam schwärzer werdend. Er bückte sich, nahm den Jungen auf den Arm und lief, während er ihn fest an sich drückte, in Richtung Straße los. Es tut mir leid, flüsterte er. Es tut mir leid.

Er wusste nicht, ob der Junge je wieder etwas sagen würde. Sie kampierten an einem Fluss, und er saß am Feuer und lauschte dem im Dunkeln fließenden Wasser. Es war kein sicherer Ort, da das Geräusch des Flusses jedes andere übertönte, aber er glaubte, dass es den Jungen aufheitern würde. Sie aßen den letzten Rest ihrer Vorräte, dann studierte er die Karte. Er maß die Straße mit einem Stück Schnur, betrachtete sie und maß nach. Immer noch eine lange Strecke bis zur Küste. Er wusste nicht, was sie dort vorfinden würden. Er schob die Kartenteile zusammen und steckte sie wieder in den Plastikbeutel, dann saß er da und starrte in die Glut.

Am folgenden Tag überquerten sie auf einer schmalen Eisenbrücke den Fluss und gelangten in ein altes Fabrikstädtchen. Sie durchsuchten die Holzhäuser, fanden aber nichts. Auf einer Veranda saß ein Mann im Overall, seit Jahren tot. Er wirkte wie eine Strohpuppe, zur Ankündigung irgendeines Feiertags hierhergesetzt. Sie gingen an der langen dunklen Wand der Fabrik entlang, deren Fenster zugemauert waren. Vor ihnen stob der feine schwarze Ruß die Straße hinunter.

Am Straßenrand verstreut die unterschiedlichsten Dinge. Elektrische Geräte, Möbelstücke. Werkzeuge. Vor langer Zeit von Pilgern auf dem Weg in ihrem je verschiedenen, kollektiven Tod zurückgelassen. Noch vor einem Jahr hätte der Junge zuweilen etwas aufgehoben und es eine Zeit lang bei sich getragen, doch inzwischen tat er das nicht mehr. Sie setzten sich hin, ruhten aus, tranken den letzten Rest ihres sauberen Wassers und ließen den Plastikkanister auf der Straße stehen. Der Junge sagte: Wenn wir das kleine Kind gefunden hätten, hätte es mit uns kommen können.

Ja.

Wo haben sie es gefunden?

Der Mann gab keine Antwort.

Könnte es irgendwo noch eins geben?

Ich weiß nicht. Möglich ist es.

Was ich über diese Leute gesagt habe, tut mir leid.

Welche Leute?

Die Leute, die verbrannt sind. Die auf der Straße getroffen worden und verbrannt sind.

Ich wusste gar nicht, dass du etwas Schlechtes über sie gesagt hast.

Es war nichts Schlechtes. Können wir jetzt weitergehen?

Okay. Möchtest du im Wagen fahren?

Es geht schon.

Warum fährst du nicht ein Weilchen?

Ich habe keine Lust. Es geht schon.

Im Flachland träges Wasser. Die sumpfigen Stellen am Straßenrand reglos und grau. Die Flüsse der Küstenebene in bleierner Schlangenlinie auf dem verödeten Farmland. Sie gingen weiter. Vor ihnen, wo die Straße abfiel, befand sich ein Schilfdickicht. Ich glaube, da ist eine Brücke, sagte er. Wahrscheinlich ein Bach.

Können wir das Wasser trinken?

Uns bleibt gar nichts anderes übrig.

Es macht uns doch nicht krank?

Das glaube ich nicht. Aber der Bach könnte auch trocken sein.

Kann ich vorausgehen?

Ja, natürlich.

Der Junge lief los. Er hatte ihn lange nicht mehr rennen sehen. Mit abgespreizten Ellbogen flappte er in seinen zu großen Tennisschuhen dahin. Dann blieb er, den Blick nach vorn gerichtet, stehen und kaute auf der Lippe.

Das Wasser war kaum mehr als ein Rinnsal. Er konnte sehen, dass es sich leicht bewegte, wo es in eine unter der Straße hindurch verlaufende Betonröhre floss, und er spuckte hinein, um sich zu vergewissern, dass es sich tatsächlich um fließendes Wasser handelte. Er holte ein Stück Tuch und ein Plastikgefäß aus dem Wagen, spannte das Tuch über die Öffnung des Gefäßes, tauchte es ein und sah zu, wie es sich füllte. Er hob das triefende Gefäß hoch und hielt es ins Licht. Das Wasser sah gar nicht schlecht aus. Er nahm das Tuch weg und reichte dem Jungen das Gefäß. Na los, sagte er.

Der Junge trank und reichte das Gefäß zurück.

Trink noch etwas.

Erst du, Papa.

Okay.

Sie saßen da, filterten die Asche aus dem Wasser und tranken, bis sie nichts mehr aufnehmen konnten. Der Junge legte sich rücklings ins Gras.

Wir müssen weiter.

Ich bin richtig müde.

Ich weiß.

Er saß da und betrachtete ihn. Sie hatten seit zwei Tagen nichts mehr gegessen. Noch zwei Tage, und sie würden körperlich abbauen. Durch das Röhricht kletterte er die Uferböschung hinauf, um einen Blick auf die Straße zu werfen. Dunkel, schwarz und spurlos zog sie sich durch das offene Land. Der Wind hatte Asche und Staub vom Belag geweht. Früher einmal fruchtbarer Boden. Nirgendwo ein Zeichen von Leben. Es war keine Gegend, die er kannte. Die Namen der Städte oder Flüsse. Komm, sagte er. Wir müssen weiter.

Sie schliefen immer mehr. Mehr als einmal erwachten sie auf der Straße liegend, wie Verkehrsopfer. Der Schlaf des Todes. Er setzte sich auf und griff nach dem Revolver. Im bleiernen Abend stand er da, die Ellbogen auf den Wagengriff gestützt, und schaute über die Felder hinweg auf ein knapp zwei Kilometer entferntes Haus. Gesehen hatte es der Junge. Von dem Rußvorhang mal verhüllt, mal dem Blick freigegeben, wie ein Haus in einem ungewissen Traum. Er stützte sich auf den Wagen und sah den Jungen an. Dorthin zu gelangen würde sie einiges an Anstrengung kosten. Sie müssten ihre Decken mitnehmen. Irgendwo unterwegs den Wagen verstecken. Sie könnten vor Einbruch der Dunkelheit dort sein, aber zurückkommen würden sie dann nicht mehr.

Wir müssen es uns ansehen. Wir haben keine Wahl.

Ich will nicht.

Wir haben seit Tagen nichts gegessen.

Ich habe keinen Hunger.

Nein, du bist am Verhungern.

Ich will nicht dorthin, Papa.

Dort ist niemand. Versprochen.

Woher weißt du das?

Ich weiß es eben.

Die könnten dort sein.

Nein, sind sie nicht. Keine Sorge.

In ihre Decken gehüllt, machten sie sich, nur mit dem Revolver und einer Wasserflasche bewaffnet, auf den Weg über die Felder, die ein letztes Mal gepflügt worden waren. Stoppeln standen aus dem Boden, und von Ost nach West waren noch die schwachen Spuren der Scheibenegge erkennbar. Es hatte kürzlich geregnet, die Erde unter ihren Füßen war weich, er hielt den Blick auf den Boden gerichtet, und es dauerte nicht lange, bis er stehen blieb und eine Pfeilspitze aufhob. Er spuckte darauf, wischte am Saum seiner Hose die Erde davon ab und gab sie dem Jungen. Sie bestand aus weißem Quarz und war noch immer so vollkommen wie am Tag ihrer Herstellung. Es gibt noch mehr, sagte er. Schau auf den Boden, du wirst schon sehen. Er fand zwei weitere. Grauer Flint. Dann eine Münze oder einen Knopf. Dicke Grünspankruste. Er kratzte mit dem Daumennagel daran. Es war eine Münze. Er zog sein Messer und schrappte vorsichtig den Belag ab. Die Legende war spanisch. Er öffnete den Mund, um den voraustrottenden Jungen darauf aufmerksam zu machen, doch dann blickte er um sich auf das graue Land und den grauen Himmel, ließ die Münze fallen und beeilte sich, den Jungen einzuholen.

Sie standen vor dem Haus und betrachteten es. Eine kiesbestreute Zufahrt, die Richtung Süden abschwenkte. Eine Ziegelstein-Loggia. Eine Doppeltreppe, die in elegantem Schwung zum Portikus hinaufführte. Auf der Rückseite des Hauses eine Dependance aus Ziegelstein, die vielleicht einmal als Küche gedient hatte. Dahinter eine Blockhütte. Er machte einen Schritt die Treppe hinauf, doch der Junge zog ihn am Ärmel.

Können wir eine Weile warten?

Okay. Aber es wird langsam dunkel.

Ich weiß.

Okay.

Sie setzten sich auf die Treppe und blickten auf das Land hinaus.

Es ist niemand da, sagte der Mann.

Okay.

Hast du immer noch Angst?

Ja.

Uns passiert schon nichts.

Okay.

Sie gingen die Treppe hinauf in den breiten, mit einem Fußboden aus Ziegelstein ausgestatteten Portikus. Die Tür war schwarz gestrichen und wurde von einem Hohlblock offen gehalten. Trockenes Laub und Unkraut waren in das Haus geweht worden. Der Junge klammerte sich an seine Hand. Warum ist die Tür offen, Papa?

Sie ist es eben. Wahrscheinlich steht sie schon seit Jahren offen. Vielleicht haben die letzten Bewohner sie offen gehalten, um ihre Sachen hinauszuschaffen.

Warten wir lieber bis morgen.

Komm schon. Wir sehen uns nur rasch um. Bevor es zu

dunkel wird. Wenn wir das Gelände sichern, können wir vielleicht sogar ein Feuer machen.

Aber wir bleiben nicht im Haus, oder?

Wir müssen nicht im Haus bleiben.

Okay.

Trinken wir einen Schluck Wasser.

Okay.

Er nahm die Flasche aus der Seitentasche seines Parkas, schraubte den Deckel ab und sah zu, wie der Junge trank. Dann nahm er selbst einen Schluck, schraubte den Deckel wieder auf, nahm den Jungen bei der Hand und betrat mit ihm die verdunkelte Eingangshalle. Hohe Decke. Ein importierter Kronleuchter. Am oberen Treppenabsatz befand sich ein großes palladianisches Fenster, dessen Form vom letzten Tageslicht ganz schwach auf die Treppenhauswand geworfen wurde.

Nach oben müssen wir aber nicht gehen, oder?, flüsterte der Junge.

Nein. Morgen vielleicht.

Wenn wir das Gelände gesichert haben.

Ja.

Okay.

Sie betraten das Wohnzimmer. Unter der verschlammten Asche der Umriss eines Teppichs. Mit Leintüchern verhüllte Möbel. An den Wänden fahle Rechtecke, wo einmal Bilder gehangen hatten. In dem Zimmer auf der anderen Seite des Foyers stand ein Konzertflügel. Ihre eigenen Gestalten wurden in dem dünnen, wässrigen Glas des Fensters dort in Teile zerlegt. Sie traten ein und blieben lauschend stehen. Sie wanderten durch die Zimmer wie skeptische Hauskäufer. Und blieben immer wieder stehen, um durch die großen Fenster auf das sich verdunkelnde Land hinauszublicken.

In der Küche gab es Besteck, Kochgeschirr und englisches Porzellan. Eine Speisekammer, deren Tür leise hinter ihnen zufiel. Gefliester Boden, Reihen von Regalen und in den Regalen mehrere Dutzend große Einweckgläser. Er durchquerte den Raum, nahm eines in die Hand und pustete den Staub herunter. Grüne Bohnen. In den ordentlichen Reihen außerdem rote Paprikastücke. Tomaten. Mais. Neue Kartoffeln. Okra. Der Junge sah ihm zu. Der Mann wischte den Staub von den Deckeln der Gläser und drückte mit dem Daumen darauf. Es wurde rasch dunkel. Er trug zwei Gläser zum Fenster, hielt sie hoch und drehte sie. Er sah den Jungen an. Kann sein, dass die giftig sind, sagte er. Wir werden alles gründlich kochen müssen. Ist das okay?

Ich weiß nicht.

Was willst du denn tun?

Das musst du sagen.

Das müssen wir beide sagen.

Meinst du, die Sachen sind okay?

Ich denke, wenn wir sie gründlich kochen, können wir sie essen.

Okay. Warum, glaubst du, hat niemand sie gegessen?

Ich glaube, dass niemand sie gefunden hat. Von der Straße aus kann man das Haus nicht sehen.

Wir haben es aber gesehen.

Du hast es gesehen.

Der Junge musterte die Gläser.

Was meinst du?, fragte der Mann.

Ich denke, wir haben keine Wahl.

Ich denke, du hast recht. Gehen wir Holz holen, bevor es noch dunkler wird.

Sie trugen zig Armvoll toter Äste die Hintertreppe hinauf und durch die Küche ins Esszimmer, machten sie klein und stopften den Kamin voll. Er entzündete das Feuer, Rauch ringelte sich nach oben über den bemalten Holzsturz, stieg zur Decke auf und ringelte sich wieder nach unten. Er fachte die Flammen mit einer Zeitschrift an, bald begann der Rauchfang zu ziehen, und das Feuer prasselte und erleuchtete Wände, Decke und den Glaskronleuchter mit seinen unzähligen Facetten. Die Flammen ließen das dunkle Glas des Fensters aufscheinen, vor dem die Silhouette des Jungen mit hochgezogener Kapuze wie ein aus der Nacht hereingekommener Troll wirkte. Er schien von der Hitze wie betäubt. Der Mann zog die Leintücher von dem langen Empiretisch in der Mitte des Raums, schüttelte sie aus und machte daraus ein Nachtlager vor dem Kamin. Er setzte den Jungen auf den Boden, zog ihm die Schuhe aus und löste die schmutzigen Lumpen, mit denen seine Füße umwickelt waren. Alles okay, flüsterte er. Alles okay.

In einer Küchenschublade fand er Kerzen, zündete zwei davon an, ließ Wachs auf die Arbeitsplatte tropfen und klebte die Kerzen darin fest. Er ging nach draußen, schaffte mehr Holz herein und schichtete es neben dem Kamin auf. Der Junge hatte sich nicht gerührt. In der Küche gab es Töpfe und Pfannen, er wischte einen Topf aus, stellte ihn auf die Arbeitsplatte und versuchte dann erfolglos, eines der Gläser zu öffnen. Er ging mit einem Glas grüne Bohnen und einem Glas Kartoffeln

zur Haustür, kniete sich beim Licht einer in einem Trinkglas stehenden Kerze hin, hielt das erste Einweckglas schräg
in den Spalt zwischen Tür und Türpfosten und klemmte es
durch Zuziehen der Tür fest. Dann hockte er sich auf den
Boden der Eingangshalle, hakte den Fuß hinter den äußeren
Rand der Tür, drückte sie gegen den Deckel und drehte mit
den Händen das Glas. Der geriffelte Deckel rutschte am Holz
ab und raspelte Kerben in den Lack. Er wechselte den Griff,
zog die Tür fester heran und probierte es noch einmal. Wieder
fand der Deckel zunächst keinen Halt, dann aber griff er. Der
Mann drehte langsam das Glas, dann nahm er es aus dem Spalt
zwischen Tür und Türpfosten, schraubte den Deckelring ab
und stellte es auf den Boden. Er öffnete das zweite Glas, stand
auf und ging mit beiden in die Küche, in der anderen Hand
das Glas mit der Kerze, deren Flamme flackerte und blakte. Er
versuchte, mit den Daumen den Deckel von den Gläsern zu
lösen, doch sie saßen zu fest. Er fand, dass das ein gutes Zeichen war. Er setzte den Deckelrand auf die Kante der Arbeitsplatte, schlug von oben mit der Faust auf das Glas, der Deckel
sprang ab und fiel auf den Boden, er hob das Glas und schnupperte daran. Es roch köstlich. Er schüttete die Kartoffeln und
die Tomaten in einen Topf, ging damit ins Wohnzimmer und
stellte ihn aufs Feuer.

Eine einzige brennende Kerze zwischen sich, saßen sie einander am Tisch gegenüber und aßen langsam aus Schalen von
Knochenporzellan. Der Revolver lag griffbereit, als handelte
es sich um irgendein Tischgerät. Das sich erwärmende Haus
knackte und ächzte. Wie ein Geschöpf, das aus langem Winterschlaf geweckt wird. Der Junge nickte über seiner Schale
ein, sein Löffel fiel klappernd auf den Boden. Der Mann stand

auf, kam um den Tisch herum, trug den Jungen zum Kamin, legte ihn auf die Laken und deckte ihn mit den Decken zu. Er musste zum Tisch zurückgekehrt sein, denn dort wachte er in der Nacht auf, das Gesicht auf die verschränkten Arme gebettet. Es war kalt im Zimmer, draußen wehte ein kräftiger Wind. Die Fenster klapperten leise in ihren Rahmen. Die Kerze war heruntergebrannt, das Feuer glühte nur noch. Er stand auf, legte Holz nach, setzte sich neben den Jungen, zog die Decken über ihn und strich ihm das schmutzige Haar zurück. Ich glaube, dass sie vielleicht Ausschau halten, sagte er. Sie halten Ausschau nach etwas, dem selbst der Tod nichts anhaben kann, und wenn sie es nicht sehen, werden sie sich von uns abwenden und nicht zurückkommen.

Der Junge wollte nicht, dass er nach oben ging. Der Mann versuchte, vernünftig mit ihm zu reden. Oben könnte es Decken geben, sagte er. Wir müssen nachsehen.

Ich will nicht, dass du da hinaufgehst.

Es ist niemand da.

Es könnte aber jemand da sein.

Es ist niemand da. Meinst du nicht, die Leute wären mittlerweile heruntergekommen?

Vielleicht haben sie Angst.

Ich sage ihnen, dass wir ihnen nichts tun.

Vielleicht sind sie tot.

Dann haben sie bestimmt nichts dagegen, wenn wir uns ein paar Sachen nehmen. Hör zu, ganz gleich, was es da oben gibt, es ist besser, darüber Bescheid zu wissen, als nicht darüber Bescheid zu wissen.

Warum?

Warum? Weil wir keine Überraschungen mögen. Überraschungen machen einem Angst. Und wir wollen keine Angst haben. Außerdem könnte es dort oben Sachen geben, die wir brauchen. Wir müssen nachsehen.

Okay.

Okay? Einfach so?

Auf mich hörst du doch sowieso nicht.

Ich habe dir doch zugehört.

Aber nicht sehr genau.

Es ist niemand da. Es ist seit Jahren niemand da gewesen. In der Asche sind keine Spuren. Nichts ist angerührt worden. Im Kamin sind keine Möbel verbrannt worden. Es sind Nahrungsmittel da.

In Asche halten sich keine Spuren. Das hast du selbst gesagt. Der Wind verweht sie.

Ich gehe jetzt hinauf.

Sie blieben vier Tage in dem Haus, aßen und schliefen. Im ersten Stock hatte er weitere Decken gefunden, und sie schleppten große Mengen Holz herein, das sie in der Zimmerecke aufschichteten, damit es trocknete. Er fand eine alte Spannsäge aus Holz und Draht, mit der er die toten Baumstämme zersägte. Die Zähne waren rostig und stumpf, und er setzte sich mit einer kleinen Rundfeile ans Feuer und versuchte sie ohne großen Erfolg zu schärfen. Ein paar hundert Meter vom Haus entfernt gab es einen Bach, und er schleppte unzählige Eimer über die Stoppelfelder und durch den Schlamm, sie machten Wasser heiß, badeten in einem Raum neben dem hinteren Schlafzimmer im Erdgeschoss, er schnitt sich und dem Jungen die Haare und rasierte sich. Sie hatten Kleider, Decken und Kissen aus den Zimmern im ersten Stock und statteten sich neu aus, wobei er die Hose des Jungen mit seinem Messer auf die passende Länge kürzte. Er richtete am Kamin einen Schlafplatz ein und legte davor, als Kopfteil für ihr Bett und um die Wärme zu halten, eine hohe Schlafzimmerkommode auf die Seite. Es regnete die ganze Zeit. Er stellte Eimer unter die Fallrohre an den Hausecken, um frisches Wasser von dem alten Stehfalz-Metalldach aufzufangen, und nachts konnte er den Regen in den oberen Zimmern trommeln und durch das Haus tropfen hören.

Sie durchstöberten die Nebengebäude auf der Suche nach Nützlichem. Er fand eine Schubkarre, kippte sie um, drehte langsam das Rad und untersuchte dabei den Reifen. Der Gummi war glänzend und rissig, aber er glaubte, der Reifen könnte die Luft halten, durchwühlte alte Kisten und durcheinandergeworfene Werkzeuge, fand eine Fahrradpumpe, schraubte das Ende des Schlauchs auf den Ventilschaft des Reifens und begann zu pumpen. Um die Felge herum trat Luft aus, aber er drehte das Rad und ließ den Jungen den Reifen andrücken, bis der Wulst sich unter das Felgenhorn schob und er den Reifen aufgepumpt bekam. Er schraubte den Schlauch der Pumpe ab, drehte die Schubkarre um und rollte sie einmal hin und her. Dann schob er sie nach draußen, damit der Regen sie sauber wusch. Als sie das Haus zwei Tage später verließen, hatte es aufgeklart, und sie machten sich mit der Schubkarre, die ihre neuen Decken und die in zusätzliche Kleider gewickelten Einweckgläser enthielt, auf den Weg die matschige Straße hinunter. Er hatte ein paar Arbeitsschuhe gefunden, der Junge trug blaue, vorn mit Lumpen ausgestopfte Tennisschuhe, und sie hatten frischen Betttuchstoff für Mundschutze. Auf der Asphaltstraße angelangt, mussten sie ein Stück zurückgehen, um den Einkaufswagen zu holen, aber nur knapp anderthalb

Kilometer. Der Junge ging, eine Hand an der Schubkarre, neben ihm her. Das haben wir gut gemacht, was, Papa?, sagte er. Ja, das haben wir.

Sie aßen gut, hatten bis zur Küste aber noch einen langen Weg vor sich. Er wusste, dass er sich Hoffnungen machte, die unbegründet waren. Er hoffte, es würde heller werden, wo die Welt doch nach allem, was er wusste, täglich dunkler wurde. Einmal hatte er in einem Fotogeschäft einen Belichtungsmesser gefunden und gemeint, er könne damit über ein paar Monate hinweg Durchschnittswerte ermitteln, und er hatte ihn lange Zeit mit sich herumgetragen, weil er geglaubt hatte, irgendwann vielleicht Batterien dafür zu finden, aber das war nicht der Fall gewesen. Nachts, wenn er hustend erwachte, setzte er sich auf, die Hand zum Schutz gegen die Schwärze auf den Kopf gelegt. Wie einer, der in einem Grab erwacht. Wie jene exhumierten Toten seiner Kindheit, die man umgebettet hatte, um einem Highway Platz zu machen. Viele waren während einer Cholera-Epidemie gestorben und eilends in billigen Holzsärgen beerdigt worden, die verrottet waren und auseinanderfielen. Die nun ans Licht kommenden Toten lagen mit angezogenen Beinen auf der Seite, einige auch auf dem Bauch. Die stumpfgrünen alten Kupfermünzen aus der Lade ihrer Augenhöhlen auf den fleckigen, faulen Sargboden gefallen.

In einer Kleinstadt standen sie in einem Lebensmittelladen, in dem ein ausgestopfter Hirschkopf an der Wand hing. Der Junge betrachtete ihn lange. Auf dem Boden lag zerbrochenes Glas, und der Mann ließ den Jungen an der Tür warten, während er mit den Füßen den Abfall durchstöberte, ohne jedoch etwas zu finden. Draußen standen zwei Zapfsäulen, und sie saßen auf der Betonfläche, ließen an einer Schnur eine kleine Blechdose in den unterirdischen Tank hinab, zogen sie herauf, gossen den Becher voll Benzin, den sie enthielt, in einen kleinen Plastikkanister und ließen sie wieder hinab. Sie hatten ein kurzes Rohrstück an der Dose befestigt, damit sie eintauchte, und kauerten wie Affen, die mit Stöcken in einem Ameisenhaufen stochern, fast eine Stunde lang über dem Tank, bis der Kanister voll war. Dann schraubten sie den Deckel auf, stellten den Kanister auf den unteren Boden des Einkaufswagens und gingen weiter.

Lange Tage. Offenes Land, wo die Asche über die Straße wehte. Nachts saß der Junge am Feuer, die Kartenstücke auf dem Schoß. Er kannte die Namen von Städten und Flüssen auswendig und maß täglich die zurückgelegte Wegstrecke.

Sie aßen sparsamer. Sie hatten fast nichts mehr übrig. Die Karte in der Hand, stand der Junge auf der Straße. Sie lauschten mit heruntergezogenen Kapuzen, konnten aber nichts hören. Dennoch sah er nach Osten hin offenes Land, und die Luft war anders. Dann stießen sie hinter einer Biegung in der Straße plötzlich darauf und blieben stehen, während der Salzwind ihnen durch das Haar fuhr. Dort draußen war der graue Strand, an den unter fernem Rauschen stumpf und bleiern die langsamen Brecher heranrollten. Wie die Ödnis einer fremdartigen See, die sich an den Ufern einer gänzlich unbekannten Welt bricht. Draußen im Watt lag ein Tanker auf der Seite. Dahinter der Ozean, weit, kalt und in schwerfälliger Bewegung, wie ein Fass voll langsam wogender Schlacke, dann die graue Kaltfront aus Asche. Er sah den Jungen an. Er sah ihm die Enttäuschung am Gesicht an. Tut mir leid, dass es nicht blau ist, sagte er. Ist schon okay, sagte der Junge.

Eine Stunde später saßen sie am Strand und starrten auf die Smogwand über dem Horizont. Sie hatten die Fersen in den Sand gestemmt und sahen zu, wie das öde Meer an ihre Füße spülte. Kalt. Trostlos. Ohne Vögel. Er hatte den Einkaufswagen in dem Farndickicht hinter den Dünen stehen lassen, sie hatten Decken mitgenommen und saßen, in sie eingehüllt, im Windschatten eines großen Treibholzstammes. So saßen sie lange Zeit. Entlang dem Ufer der kleinen Bucht vor ihnen im Seetang aufgeworfene Haufen kleiner Knochen. Weiter weg salzgebleichte Brustkörbe, möglicherweise von Rindern. Grauer Salzreif auf den Felsen. Der Wind wehte, trockene Samenkapseln huschten über den Sand, verhielten und huschten weiter.

Meinst du, es gibt da draußen vielleicht Schiffe?
　　Das glaube ich nicht.
　　Weit sehen könnten sie nicht.
　　Nein.
　　Was ist auf der anderen Seite?
　　Nichts.
　　Irgendwas muss doch dort sein.
　　Vielleicht gibt es dort einen Vater und seinen kleinen Sohn, und sie sitzen am Strand.
　　Das wäre okay.
　　Ja. Das wäre okay.

Und es könnte sein, dass sie auch das Feuer bewahren?

Das könnte sein. Ja.

Aber wir wissen es nicht.

Wir wissen es nicht.

Und deshalb müssen wir wachsam sein.

Wir müssen wachsam sein. Ja.

Wie lange können wir hierbleiben?

Ich weiß nicht. Wir haben nicht mehr viel zu essen.

Ich weiß.

Dir gefällt es hier.

Ja.

Mir auch.

Darf ich schwimmen gehen?

Schwimmen?

Ja.

Du frierst dir sonstwas ab.

Ich weiß.

Es ist bestimmt richtig kalt. Schlimmer, als du denkst.

Das ist schon okay.

Ich möchte dich nicht rausholen müssen.

Du findest, ich soll es lassen.

Nein, mach ruhig.

Aber du findest, ich soll es lassen.

Nein. Ich finde, du sollst es tun.

Wirklich?

Ja. Wirklich.

Okay.

Er stand auf, ließ die Decke in den Sand fallen und zog sich Jacke, Schuhe und Kleider aus. Die Arme um sich geschlagen, hüpfte er nackt auf der Stelle. Dann rannte er den Strand hinunter. So weiß. Die Knubbel seiner Wirbelsäule. Scharf-kantige, unter der blassen Haut arbeitetende Schulterblätter. Nackt rannte er los und stürzte sich schreiend in die träge rollende Brandung.

Als er herauskam, war er blau vor Kälte, und seine Zähne klapperten. Der Mann ging ihm entgegen, hüllte den Zitternden in eine Decke und drückte ihn an sich, bis er zu keuchen aufhörte. Doch als er den Jungen ansah, weinte dieser. Was ist denn?, fragte er. Nichts. Nein, sag es mir. Nichts. Es ist nichts.

Bei Einbruch der Dunkelheit machten sie an dem Baumstamm ein Feuer, aßen Okra, Bohnen und die letzten eingemachten Kartoffeln. Obst hatten sie längst keines mehr. Sie tranken Tee, saßen am Feuer, schliefen im Sand und lauschten dem Rollen der Brandung in der Bucht. Ihrem langsamen Aufrauschen und Anprallen. Nachts stand er auf und ging, in seine Decken gehüllt, bis zur Wasserlinie. Zu schwarz, um etwas zu sehen. Salzgeschmack auf den Lippen. Warten. Warten. Dann uferabwärts das langsam dröhnende Anbranden. Das brodelnde Zischen, mit dem es über den Strand spülte und sich wieder zurückzog. Er dachte, dass es dort draußen noch Totenschiffe geben könnte, die mit herabhängenden Segelfetzen dahintrieben. Oder Leben in der Tiefe. Große Tintenfische, die sich in der kalten Dunkelheit über den Meeresboden fortbewegten. Hin- und herjagten wie Züge, mit tellergroßen Augen. Und vielleicht gingen jenseits dieses umschleierten An- und Abschwellens ja tatsächlich ein anderer Mann und ein anderes Kind über den toten grauen Sand. Schliefen nur ein Meer entfernt auf einem anderen Strand in der bitteren Asche der Welt oder standen in ihren Lumpen da, für dieselbe gleichgültige Sonne verloren.

Er erinnerte sich, wie er in einer solchen Nacht einmal vom Getrappel von Krabben in der Pfanne, in der er am Abend zuvor Steakknochen zurückgelassen hatte, aufgewacht war. Im auflandigen Wind das Pulsieren der schwachen, tiefroten Glut des Treibholzfeuers. Er lag unter einer Myriade von Sternen. Der schwarze Horizont des Meeres. Er stand auf, ging los, stand barfuß im Sand und sah zu, wie das ganze Ufer entlang die fahle Brandung erschien, schäumend anprallte und sich wieder verdunkelte. Zum Feuer zurückgekehrt, kniete er nieder, strich ihr das Haar glatt, während sie schlief, und sagte, wenn er Gott wäre, hätte er die Welt genau so und nicht anders eingerichtet.

Als er zurückkam, war der Junge wach und hatte Angst. Er hatte gerufen, aber nicht laut genug, als dass der Mann ihn hätte hören können. Er legte die Arme um ihn. Ich habe dich nicht gehört, sagte er. Wegen der Brandung. Er legte Holz nach und fachte das Feuer an, dann sahen sie, in ihre Decken gehüllt, zu, wie sich die Flammen im Wind hin und her warfen, und etwas später schliefen sie.

Am Morgen brachte er das Feuer wieder in Gang, sie aßen und betrachteten das Ufer. So kalt und regnerisch, wie es anmutete, unterschied es sich nicht sehr von Meereslandschaften der nördlichen Welt. Keine Möwen oder sonstigen Seevögel. Die Uferlinie entlang verstreut oder in der Brandung hin und her geworfen verkohlte, sinnlose Artefakte. Sie sammelten Treibholz, schichteten es, deckten es mit der Plane ab und machten sich auf den Weg den Strand entlang. Wir sind Strandgutsammler, sagte er.

Was ist das?

Das sind Leute, die am Strand entlanggehen und nach wertvollen Dingen suchen, die vielleicht angeschwemmt worden sind.

Was für Dinge?

Alles Mögliche. Alles, was man irgendwie verwenden kann.

Meinst du, wir finden etwas?

Ich weiß nicht. Wir schauen mal.

Schauen wir mal, sagte der Junge.

Sie standen auf der Mole und blickten nach Süden. In dem Steinbecken das mähliche Gekräusel einer grauen Salzbrühe. Dahinter die langgezogene Kurve des Strandes. Grau wie Lavasand. Der vom Wasser kommende Wind roch schwach nach Jod. Das war alles. Er hatte keinerlei Meeresgeruch. Auf den Steinbrocken die Überreste irgendeines dunklen Tangs. Sie überquerten die Mole und gingen weiter. Am Ende des Strandes versperrte ihnen eine felsige Erhebung den Weg, und sie verließen den Strand und nahmen einen alten Pfad zwischen den Dünen und dem toten Strandhafer hindurch, bis sie auf einer flachen Landzunge herauskamen. Unter ihnen eine gekrümmte Landspitze, verschleiert von dem dunklen Nebel, der das Ufer entlangwehte, und dahinter, auf der Seite festliegend, der Rumpf eines Segelbootes. Sie kauerten beobachtend in den trockenen Grasbüscheln. Was sollen wir tun?, fragte der Junge.

Beobachten wir es erst mal eine Weile.

Mir ist kalt.

Ich weiß. Bewegen wir uns ein Stück weiter. Aus dem Wind heraus.

Die Arme um den Jungen vor ihm gelegt, saß er da. Das tote Gras knisterte leise. Graue Ödnis dort draußen. Das endlos sich hinziehende Meer. Wie lange müssen wir hier sitzen?, fragte der Junge.

Nicht lange.

Glaubst du, es sind Leute auf dem Boot, Papa?

Nein, das glaube ich nicht.

Sie müssten ganz schräg stehen.

Ja, das müssten sie. Kannst du da draußen irgendwelche Spuren sehen?

Nein.

Warten wir einfach noch eine Weile.

Mir ist kalt.

Während sie den halbmondförmigen Strand entlangmarschierten, hielten sie sich auf dem festeren Sand unterhalb des Spülsaums. Ihre Kleider flatterten leise, als sie stehen blieben. Glasschwimmer, mit einer grauen Kruste überzogen. Die Knochen von Seevögeln. An der Flutlinie ein Gewirr aus Seetang und Millionen von Fischgräten, das sich wie eine Isokline des Todes am Ufer hinzog, so weit das Auge reichte. Ein riesiges salziges Grab. Sinnlos. Sinnlos.

Vom Ende der Landzunge bis zu dem Boot waren es vielleicht dreißig Meter offenes Wasser. Sie standen da und betrachteten das Boot. Etwa zwanzig Meter lang. Abgetakelt bis auf das

Deck und in drei bis vier Meter tiefem Wasser auf der Seite liegend. Es war einmal ein Zweimaster gewesen, aber die Masten waren knapp über dem Deck abgebrochen, und von den Aufbauten waren nur noch ein paar Messingklampen und einige Stützen der Reling entlang dem Deckrand geblieben. Das und der Stahlreifen des Steuerrades, der achtern aus der Plicht ragte. Er drehte sich um und musterte den Strand und die Dünen dahinter. Dann gab er dem Jungen den Revolver und begann seine Schnürsenkel zu lösen.

Was hast du vor, Papa?

Ich sehe es mir mal an.

Kann ich mitkommen?

Nein. Ich möchte, dass du hierbleibst.

Ich möchte aber mitkommen.

Du musst Wache halten. Außerdem ist das Wasser tief.

Werde ich dich sehen können?

Ja. Ich werde immer wieder nach dir schauen. Um mich zu vergewissern, dass alles okay ist.

Ich will aber mit.

Er hielt inne. Das geht nicht, sagte er. Unsere Kleider würden wegwehen. Irgendwer muss aufpassen.

Er faltete alles zusammen und schichtete es aufeinander. Gott, war das kalt. Er bückte sich und küsste den Jungen auf die Stirn. Hör auf, dir Sorgen zu machen. Halt einfach Ausschau. Er watete nackt ins Wasser, blieb stehen und machte sich damit nass. Dann stapfte er platschend weiter und tauchte kopfüber darin ein.

Er schwamm den Stahlrumpf entlang, wendete und trat, vor Kälte keuchend, Wasser. Mittschiffs lag die Scheuerleiste knapp unter Wasser. Er zog sich bis zum Heckwerk. Der Stahl war grau und vom Salz aufgeraut, aber er konnte die verblassten Goldbuchstaben ausmachen. Pájaro de Esperanza. Tenerife. Zwei Davits ohne Rettungsboot. Er packte die Scheuerleiste, zog sich an Bord, drehte sich um und kauerte zitternd auf dem schrägen Holzdeck. Ein paar Stücke geflochtenes Kabel, an den Spannschrauben abgerissen. Im Holz gezackte Löcher, wo es Ausrüstungsgegenstände herausgerissen hatte. Irgendeine schreckliche Kraft, die alles von Deck gefegt hatte. Er winkte dem Jungen zu, doch der winkte nicht zurück.

Die Kajüte war niedrig, mit gewölbtem Dach und Bullaugen an den Seiten. Er kauerte sich hin, wischte das graue Salz weg und schaute hinein, konnte aber nichts sehen. Er versuchte, die niedrige Teakholztür zu öffnen, aber sie war verschlossen. Er rammte sie mit seiner knochigen Schulter. Er sah sich nach etwas um, womit er sie aufstemmen könnte. Er zitterte unkontrollierbar, und seine Zähne klapperten. Er überlegte, die Tür mit der Fußsohle einzutreten, entschied sich jedoch dagegen. Den Ellbogen in die Hand gestützt, rammte er die Tür erneut. Er spürte, wie sie nachgab. Ganz leicht nur. Er machte weiter. Der Türpfosten splitterte auf der Innenseite, die Tür gab endlich nach, er stieß sie auf und stieg den Niedergang hinunter.

Am tiefer liegenden Schott stehendes Wasser, gefüllt mit nassen Papieren und Abfall. Über allem ein säuerlicher Geruch. Feucht und klamm. Er hatte geglaubt, das Boot sei geplündert worden, doch es war das Meer, das die Zerstörungen angerichtet hatte. Mitten in der Messe stand ein Mahagonitisch mit Schlingerborden an Scharnieren. Die Spindtüren standen offen, sämtliche Messingbeschläge von stumpfem Grün. Er ging weiter zu den vorderen Kabinen. Vorbei an der Kombüse. Auf dem Boden Mehl, Kaffee und Konserven, eingedellt und rostend. Ein Klosett mit Toilettenschüssel und Waschbecken aus rostfreiem Stahl. Durch die Bullaugen des Kajütsaufbaus fiel das schwache Meereslicht ein. Überall verstreut Gerätschaften. Eine im eingesickerten Wasser treibende Rettungsweste.

Er rechnete halb mit irgendeinem Horrorbild, doch es gab keines. Die Matratzen in den Kabinen waren auf den Boden geschleudert worden, an der Wand waren Bettzeug und Kleidung aufgehäuft. Alles nass. Eine Tür des Bugspinds stand offen, doch es war zu dunkel, als dass er hineinsehen konnte. Er zog den Kopf ein, schob sich in den Spind und tastete um sich. Tiefe Fächer mit Holzklappen an Scharnieren. Auf dem Boden ein Haufen Seemannszeug. Er zerrte alles heraus und stapelte es auf dem schrägstehenden Bett. Decken, Schlechtwetterzeug. Er fand einen feuchten Pullover und zog ihn sich über. Er fand ein Paar gelbe Gummistiefel und eine Nylonjacke, zog beides an, schlüpfte in die steife gelbe Hose des Ölzeugs, schob sich mit den Daumen die Hosenträger auf die Schultern und fuhr in die Stiefel. Dann ging er wieder an Deck. Der Junge saß so da, wie er ihn zurückgelassen hatte, und beobachtete das Boot. Erschrocken stand er auf, und dem Mann wurde klar, dass er in seinen neuen Kleidern eine sonderbare Figur abgab. Ich bin's, rief er, aber der Junge stand einfach nur da, und der Mann winkte ihm zu und ging wieder unter Deck.

In der zweiten Kabine gab es unter der Koje Schubladen, die noch an Ort und Stelle waren, und er rüttelte sie frei und zog sie heraus. Handbücher und Papiere auf Spanisch. Seifenriegel. Eine schwarze, mit Schimmel überzogene Reisetasche, die Papiere enthielt. Er steckte die Seife in die Jackentasche und stand auf. Auf der Koje verstreut Bücher auf Spanisch, aufgequollen und formlos. Eine einzelner Band in das Regal am vorderen Schott geklemmt.

Er fand einen gummierten Seesack und durchstreifte mit in der Kälte knarzenden, gelben Ölzeughosen und Stiefeln den Rest des Schiffes, dessen Schräglage ihn zwang, sich an den Wänden abzustützen. Er füllte den Seesack mit den unterschiedlichsten Kleidungsstücken. Ein Paar Frauensportschuhe, von denen er meinte, sie würden dem Jungen passen. Ein Klappmesser mit Holzgriff. Eine Sonnenbrille. Seine Suche hatte gleichwohl etwas Unsinniges. Wie wenn man, um etwas Verlorenes zu finden, zuerst an den unwahrscheinlichsten Stellen nachsieht. Schließlich ging er in die Kombüse. Er machte den Herd an und wieder aus.

Er entriegelte und hob die Luke zum Maschinenraum. Halb unter Wasser und stockdunkel. Kein Benzin- oder Ölgeruch. Er schloss sie wieder. In die Bänke der Plicht waren Spinde eingebaut, die Sitzkissen, Segeltuch, Angelgerät enthielten. In einem Spind hinter dem Sockel des Steuerrads fand er mehrere Rollen Nylonseil, Gasflaschen und eine Werkzeugkiste aus Fiberglas. Er setzte sich auf den Boden und sah das Werkzeug durch. Rostig, aber brauchbar. Zange, Schraubenzieher, Schraubenschlüssel. Er klappte den Werkzeugkasten zu, stand auf und sah nach dem Jungen. Der lag zusammengerollt im Sand und schlief, den Kopf auf dem Kleiderstapel.

Er trug den Werkzeugkasten und eine der Gasflaschen in die Kombüse und machte einen letzten Rundgang durch die Kabinen. Dann durchsuchte er die Spinde in der Messe, sah Aktenordner und Papiere in Plastikboxen durch, um das Schiffstagebuch zu finden. Er fand ein Porzellanservice, das unbenutzt in einer mit Holzwolle gefüllten Kiste verpackt war. Das meiste davon zerbrochen. Ein Service für acht Personen mit aufgedrucktem Schiffsnamen. Ein Geschenk, dachte er. Er nahm eine Teetasse heraus, drehte sie in der Hand und legte sie zurück. Das Letzte, was er fand, war ein würfelförmiger Eichenholzkasten mit Eckfugen in Schwalbenschwanzverbindung und einer in den Deckel eingelassenen Messingplatte. Zunächst dachte er, es könnte sich um einen Humidor handeln, aber der Kasten hatte die falsche Form, und als er das Gewicht spürte, wusste er, was es war. Er ließ die korrodierten Verschlüsse aufschnappen und klappte den Deckel auf. In dem Kasten lag ein Sextant aus Messing, möglicherweise hundert Jahre alt. Er hob ihn aus dem mit passenden Vertiefungen ausgestatteten Kasten und hielt ihn in der Hand. War überwältigt von seiner Schönheit. Das Messing war stumpf, und es gab grüne Flecken, die sich zur Form einer anderen Hand ergänzten, die den Sextanten einmal gehalten hatte, doch ansonsten war das Gerät makellos. Er wischte den Grünspan von der unten angebrachten Plakette. Hezzaninth, London. Er hielt sich das Fernrohr ans Auge und drehte am Einstellring. Es war seit langem der erste Gegenstand, der ihn tief bewegte. Er hielt ihn in der Hand, dann legte er ihn in den mit blauem Filz ausgeschlagenen Kasten zurück, schloss den Deckel, ließ die Verschlüsse zuschnappen, stellte den Kasten in den Spind zurück und schloss die Tür.

Als er an Deck zurückkehrte, um nach dem Jungen zu sehen, war dieser nicht da. Ein Moment der Panik, ehe er ihn, den Revolver in der herabhängenden Hand, mit gesenktem Kopf strandabwärts an der Böschung entlanggehen sah. Während er da stand, spürte er, wie der Bootsrumpf sich hob und verrückte. Nur ganz leicht. Die Flut kam. Klatschte dort unten an die Steinbrocken der Mole. Er drehte sich um und ging wieder in die Kajüte hinunter.

Er hatte die zwei Seilrollen aus dem Spind geholt, maß mit der Spanne ihren Durchmesser, multiplizierte diesen mit drei und zählte dann die Windungen. Zwei Fünfzig-Fuß-Seile. Er hängte sie auf dem grauen Teakholzdeck an eine Klampe und kehrte in die Kajüte zurück. Er suchte alles zusammen und stapelte es am Tisch. Im Kombüsenspind standen ein paar Wasserkanister aus Plastik, doch bis auf einen waren sie alle leer. Er nahm einen der leeren in die Hand und sah, dass das Plastik gesprungen und das Wasser herausgelaufen war. Vermutlich waren sie irgendwo auf den Irrfahrten des Bootes gefroren. Wahrscheinlich sogar mehrmals. Er nahm den halbvollen Kanister, stellte ihn auf den Tisch, schraubte den Deckel ab, schnupperte daran, hob den Kanister mit beiden Händen und trank. Und trank noch einmal.

Die Dosen auf dem Kombüsenboden machten nicht den Eindruck, als seien sie noch verwertbar, die im Spind waren stark angerostet oder zeigten unheilvolle Aufwölbungen. Sämtliche Etiketten waren entfernt worden, und was die Dosen enthielten, hatte man mit schwarzem Penmarker auf Spanisch daraufgeschrieben. Was er nur teilweise verstand. Er ging sie durch, schüttelte sie, drückte sie mit der Hand. Er stapelte sie auf der Arbeitsplatte über dem kleinen Kombüsenkühlschrank. Er dachte, dass es irgendwo im Laderaum verstaut kistenweise Lebensmittel geben müsse, glaubte aber nicht, dass irgendetwas davon noch essbar war. Im Einkaufswagen konnten sie ohnehin nur begrenzte Mengen mitnehmen. Ihm kam der Gedanke, dass er diesen unverhofften Glücksfall auf gefährliche Weise für fast schon selbstverständlich nahm, doch er blieb bei dem, was er schon einmal gesagt hatte. Dass Glück wahrscheinlich anders aussah. Es gab nur wenige Nächte, in denen er, wenn er im Dunkeln lag, die Toten nicht beneidete.

Er fand eine Dose Olivenöl und ein paar Dosen Milch. Tee in einer verrosteten Büchse. Einen Plastikbehälter mit irgendeiner undefinierbaren Mahlzeit. Eine halbleere Kaffeekanne. Systematisch ging er die Borde im Spind durch und sortierte aus, was er mitnehmen wollte. Als er alles in die Messe getragen und am Niedergang gestapelt hatte, ging er in die Kombüse zurück und machte sich daran, einen der Brenner von dem kleinen, kardanisch aufgehängten Herd abzumontieren. Er löste den Geflechtschlauch, nahm die Aluminiumaufsätze von den Brennern ab und steckte einen davon in seine Jackentasche. Mit einem Schraubenschlüssel löste er die Messingmuttern der Anschlussstücke, sodass die Brenner locker saßen. Dann löste er sie vollends, befestigte den Schlauch am Verbindungsrohr, schloss das andere Ende des Schlauchs an der Gasflasche an und trug beides in die Messe. Als Letztes bündelte er mit einer Plastikplane einige Dosen Saft, Obst und Gemüse, verschnürte die Plane mit einer Kordel, zog sich aus, legte seine Kleider zu den Sachen, die er gesammelt hatte, ging nackt an Deck, ließ sich mit der Plane zur Reling hinabgleiten, schwang sich über die Kante und ließ sich in das graue, eiskalte Wasser fallen.

Im letzten Licht watete er an Land, setzte sein Bündel ab, strich sich das Wasser von Armen und Brust und ging seine Kleider holen. Der Junge folgte ihm. Er fragte ihn unentwegt nach seiner Schulter, die von den Rammstößen gegen das Luk blau verfärbt war. Alles in Ordnung, sagte der Mann. Es tut nicht weh. Wir haben haufenweise Zeug. Wart's ab, bis du das siehst.

Sie eilten gegen das Licht den Strand entlang. Und wenn das Boot wegtreibt?, fragte der Junge.
    Es treibt nicht weg.
    Es könnte aber.
    Nein. Mach voran. Hast du Hunger?
    Ja.
    Wir werden heute Abend gut essen. Aber wir müssen uns ranhalten.
    Ich beeile mich ja schon, Papa.
    Und es wird vielleicht regnen.
    Woher weißt du das?
    Ich kann es riechen.

Wonach riecht das denn?

Nach feuchter Asche. Mach voran.

Dann blieb er stehen. Wo ist der Revolver?, fragte er.

Der Junge erstarrte. Er wirkte zu Tode erschrocken.

Mein Gott, sagte der Mann. Er blickte den Strand entlang zurück. Das Boot war bereits außer Sicht. Er sah den Jungen an. Der Junge hielt sich den Kopf und war den Tränen nahe. Es tut mir leid, sagte er. Es tut mir wirklich leid.

Der Mann setzte die Plane mit den Dosen ab. Wir müssen zurück.

Es tut mir leid, Papa.

Ist schon okay. Er wird noch da sein.

Der Junge ließ die Schultern hängen. Er begann zu schluchzen. Der Mann kniete sich hin und legte die Arme um ihn. Schon gut, sagte er. Eigentlich bin ich derjenige, der auf den Revolver achten muss, und ich habe es nicht getan. Ich habe es vergessen.

Es tut mir leid, Papa.

Na komm. Das wird schon. Alles okay.

Der Revolver war dort, wo er ihn im Sand hatte liegenlassen. Der Mann hob ihn auf, schüttelte ihn, setzte sich hin, zog den Trommelstift und reichte ihn dem Jungen. Halt das mal, sagte er.

Ist er okay, Papa?

Natürlich ist er okay.

Er ließ die Trommel auf seine Handfläche rollen, pustete den Sand davon weg, reichte sie dem Jungen, pustete durch den Lauf, pustete den Sand vom Rahmen, nahm dem Jungen die Einzelteile aus der Hand, setzte alles wieder zusammen, spannte den Hahn, ließ ihn langsam herab und spannte ihn erneut. Er drehte die Trommel so, dass die echte Patrone vor den Hahn kam, ließ den Hammer herunter, steckte den Revolver in seinen Parka und stand auf. Alles okay, sagte er. Komm.

Holt uns jetzt die Dunkelheit ein?

Ich weiß nicht.

Sie tut's. Stimmt's?

Komm. Wir beeilen uns.

Die Dunkelheit holte sie tatsächlich ein. Bis sie bei dem Pfad über die Landzunge anlangten, war es zu dunkel, als dass überhaupt noch etwas zu sehen gewesen wäre. Sie standen im auflandigen Wind, das Gras um sie herum zischelte, der Junge hielt sich an seiner Hand fest. Wir müssen einfach weitergehen, sagte der Mann. Komm.

Ich sehe nichts.

Ich weiß. Wir machen einfach einen Schritt nach dem anderen.

Okay.

Lass nicht los.

Okay.

Ganz egal, was passiert.

Ganz egal, was passiert.

Sie gingen in der vollkommenen Schwärze weiter, hilflos wie Blinde. Er hielt eine Hand vor sich, obwohl es auf dieser Salzheide nichts gab, womit man zusammenstoßen konnte. Die Brandung hörte sich an, als wäre sie weiter weg, aber er orientierte sich auch anhand des Windes, und nachdem sie fast eine Stunde lang dahingewankt waren, ließen sie Gras und Strandhafer hinter sich und standen wieder auf dem trockenen Sand des oberen Strandes. Der Wind war kälter. Er hatte den Jungen gerade auf seine Windschattenseite geholt, als der Strand vor ihnen plötzlich aus der Dunkelheit hervorzuzucken schien und wieder verschwand.

Was war das, Papa?

Alles okay. Es blitzt. Komm.

Er warf sich das Bündel über die Schulter, nahm den Jungen bei der Hand, und sie gingen weiter, setzten die Füße wie Dressurpferde, um nicht über ein Stück Treibholz oder ein Wrackteil zu stolpern. Erneut zuckte das unheimliche graue Licht über den Strand. Weit weg ein leises, in der Düsternis gedämpftes Donnergrollen. Ich glaube, ich habe unsere Spuren gesehen, sagte er.

Also sind wir auf dem richtigen Weg.

Ja, wir sind auf dem richtigen Weg.

Mir ist richtig kalt, Papa.

Ich weiß. Bete, dass es blitzt.

Sie gingen weiter. Als erneut Licht über den Strand zuckte, sah er, dass der Junge sich nach vorn beugte und vor sich hin flüsterte. Er suchte nach ihren Spuren vom Hinmarsch, sah sie jedoch nicht. Der Wind hatte noch stärker aufgefrischt, und er wartete auf die ersten Regentropfen. Wenn sie nachts draußen auf dem Strand von einem Gewitter überrascht würden, wären sie in Schwierigkeiten. Sie drehten die Gesichter aus dem Wind, hielten die Kapuzen ihrer Parkas fest. Der Sand prasselte gegen ihre Beine und stob im Dunkeln davon, nahe der Küste krachte Donner. Vom Meer her kam schräg und kräftig Regen, der ihnen ins Gesicht stach, und er zog den Jungen an sich.

Sie standen in dem Guss. Wie weit waren sie gekommen? Er wartete auf den Blitz, doch der wurde schwächer, und nach dem nächsten und übernächsten wusste er, dass das Gewitter ihre Spuren ausgelöscht hatte. In der Hoffnung, den Umriss des Baumstammes zu sehen, an dem sie ihr Lager aufgeschlagen hatten, stapften sie weiter durch den Sand am oberen Rand des Strandes. Bald blitzte es so gut wie gar nicht mehr. Dann hörte er, als der Wind kurzzeitig drehte, ein fernes, leises Prasseln. Er blieb stehen. Hör mal, sagte er.

Was denn?

Hör doch.

Ich höre nichts.

Na, komm schon.

Was denn, Papa?

Es ist die Plane. Der Regen, der auf die Plane fällt.

Sie gingen weiter, stolperten durch den Sand und den Abfall entlang dem Spülsaum. Gleich darauf stießen sie auf die Plane, er kniete sich hin, ließ das Bündel fallen, tastete nach den Steinen, mit denen er die Plane beschwert hatte, und schob sie darunter. Er hob die Plane an, zog sie über sie beide und benutzte die Steine dazu, die Ränder von innen unten zu halten. Dann schälte er den Jungen aus seiner nassen Jacke und zog, während der Regen durch die Plane auf sie herabtrommelte, die Decken über sie beide. Er warf seine eigene Jacke ab, drückte den Jungen an sich, und bald darauf waren sie eingeschlafen.

In der Nacht ließ der Regen nach, und er wachte auf und lauschte. Das schwere Heranrauschen und Anprallen der Brandung, nachdem der Wind sich gelegt hatte. Im ersten trüben Licht stand er auf und ging am Strand entlang. Das Unwetter hatte allerlei auf das Ufer geworfen, und er ging auf der Suche nach Brauchbarem die Flutlinie entlang. In den Untiefen jenseits des Wellenbrechers dümpelte zwischen dem Treibholz eine alte Leiche. Er wünschte, er könnte sie vor dem Jungen verbergen, doch der hatte recht. Was gab es da zu verbergen? Als er zurückkam, war der Junge wach, saß im Sand und blickte ihm entgegen. Er war in die Decken gehüllt und hatte ihre nassen Jacken zum Trocknen auf dem toten Gras ausgebreitet. Der Mann ging zu ihm, ließ sich neben ihm nieder, und sie sahen zu, wie sich die bleierne See jenseits der Brecher hob und senkte.

Sie brachten den größten Teil des Vormittags damit zu, das Boot zu entladen. Er unterhielt ein Feuer, watete nackt und zitternd an Land, ließ den Tampen fallen und stellte sich in die Wärme der lodernden Flammen, während der Junge den See-sack durch die leichte Dünung hindurch einholte und auf den Strand zog. Sie leerten den Sack und breiteten Decken und Kleidung zum Trocknen auf dem warmen Sand um das Feuer aus. Auf dem Boot gab es mehr, als sie mitnehmen konnten, und er dachte, sie könnten ein paar Tage an dem Strand bleiben und so viel wie möglich essen, doch das war gefährlich. In die-ser Nacht schliefen sie, ihre Sachen um sich herum verstreut, im Sand am Feuer, das die Kälte abhielt. Er erwachte hustend, stand auf, trank einen Schluck Wasser, zerrte mehr Holz aufs Feuer, ganze Stämme, die einen großen Funkenschauer auf-stieben ließen. Das salzige Holz brannte orangerot und blau im Herzen des Feuers, und er saß lange da und betrachtete es. Später ging er den Strand hinauf, sein langer Schatten reichte weit über den Sand und wurde von den im Wind flackernden Flammen hin und her geworfen. Er hustete. Hustete. Beugte sich vor, auf die Knie gestützt. Geschmack von Blut. Im Dunkeln das Herankriechen und Schäumen der Brandung, und er dachte über sein Leben nach, aber es gab kein Leben, über das man nachdenken konnte, und nach einer Weile ging er zurück. Er nahm eine Dose Pfirsiche aus dem Seesack, öffnete sie, setzte sich ans Feuer und aß die Pfirsiche langsam mit einem Löffel, während der Junge schlief. Das Feuer loderte im Wind, Funken stoben über den Sand davon. Er stellte die leere Dose zwischen seine Füße. Jeder Tag ist eine Lüge, sagte er. Aber du hast nicht mehr lange zu leben. Das ist keine Lüge.

Sie schafften ihre neuen Vorräte, in Planen oder Decken gebündelt, den Strand entlang und verstauten alles im Wagen. Der Junge lud sich zu viel auf, und als sie stehen blieben, um auszuruhen, übernahm der Mann einen Teil seiner Last. Das Boot hatte sich während des Unwetters leicht verschoben. Er stand da und betrachtete es. Der Junge beobachtete ihn. Willst du noch einmal hinüber?, fragte er.

Ich glaube schon. Ich will mich noch ein letztes Mal umsehen.

Ich habe irgendwie Angst.

Uns passiert schon nichts. Pass einfach auf.

Wir haben jetzt schon mehr, als wir mitnehmen können.

Ich weiß. Ich will mich nur nochmal umsehen.

Okay.

Er durchsuchte das Boot noch einmal vom Bug bis zum Heck. Halt. Denk nach. Die in den Gummistiefeln steckenden Füße gegen den Sockel des Tisches gestemmt, saß er auf dem Boden der Messe. Es wurde schon dunkel. Er versuchte sich zu erinnern, was er über Boote wusste. Er stand auf und ging wieder an Deck. Der Junge saß am Feuer. Er stieg in die Plicht hinunter und setzte sich, den Rücken gegen das Schott gelehnt, auf die Bank, seine Füße auf dem Deck fast auf Augenhöhe. Er hatte nichts als den Pullover und darüber das Ölzeug an, doch die wärmten nicht sehr, und er konnte nicht aufhören zu zittern. Er wollte gerade aufstehen, als ihm bewusst wurde, dass er auf die Verschlüsse am Schott auf der anderen Seite der Plicht geschaut hatte. Es waren insgesamt vier. Rostfreier Stahl. Auf den Bänken hatten einmal Sitzpolster gelegen, und an den Ecken konnte er die abgerissenen Befestigungsbänder sehen. Unten, knapp über der Sitzfläche, schaute in der Mitte ein Nylonriemen hervor, das Ende umgeschlagen und festgenäht. Er betrachtete erneut die Verschlüsse. Es handelte sich um Drehfallenschlösser mit Griffmulden für den Daumen. Er stand auf, kniete sich vor die Bank und drehte jedes ganz nach links. Sie waren mit einem Sprungfedermechanismus versehen, und als er sie geöffnet hatte, zog er an dem Nylonriemen, das Brett glitt herunter und ließ sich abheben. Dahinter befand sich ein Stauraum, der ein paar aufgerollte Segel und allem Anschein nach ein Zweimann-Schlauchboot enthielt, zusammengerollt und mit Gummibändern verschnürt. Eine Schachtel Leuchtkugeln. Und dahinter ein Werkzeugkasten aus Verbundstoff, die Deckelöffnung mit schwarzem Isolierband abgedichtet. Er nahm ihn heraus, fand das Ende des Klebebands, zog es vollständig ab, löste die verchromten Verschlüsse und klappte den Kasten auf. Er enthielt eine Taschenlampe aus gelbem Plastik, eine elektrische, mit einer Trockenzelle betriebene Warnleuchte, einen Erste-Hilfe-Kasten. Eine Notfunkbake aus gelbem Kunststoff. Und einen schwarzen Plastikkasten, etwa so groß wie ein Buch. Er nahm ihn heraus, löste die Verschlüsse und klappte ihn auf. Er enthielt, in einer der Form entsprechenden Vertiefung, eine alte 37-Millimeter-Leuchtpistole aus Bronze. Er nahm sie mit beiden Händen heraus, drehte sie um und betrachtete sie. Er drückte den Verschlusshebel und klappte sie auf. Die Kammer war leer, doch in einem Plastikbehälter gab es acht Leuchtpatronen, kurz, gedrungen und neu aussehend. Er legte die Pistole in den Kasten zurück, schloss den Deckel und ließ die Verschlüsse zuschnappen.

Zitternd und hustend watete er ans Ufer, hüllte sich in eine Decke und setzte sich in den warmen Sand am Feuer, die Kästen neben sich. Der Junge kauerte sich nieder und versuchte, die Arme um ihn zu legen, was zumindest ein Lächeln hervorbrachte.

Was hast du gefunden, Papa?, fragte er.

Einen Erste-Hilfe-Kasten. Und eine Leuchtpistole.

Was ist das?

Ich zeige es dir. Man gibt damit Signale.

Hast du danach gesucht?

Ja.

Woher hast du gewusst, dass sie da ist?

Na ja, ich habe es gehofft. Es war größtenteils Glück.

Er klappte den Kasten auf und drehte ihn, damit der Junge besser sah.

Das ist eine Pistole.

Eine Leuchtpistole. Sie schießt etwas in die Luft, und das macht dann ein Mordslicht.

Darf ich mal sehen?

Na klar.

Der Junge nahm die Pistole aus dem Kasten und hielt sie in der Hand. Kann man damit auf jemanden schießen?, fragte er.

Das könnte man schon.

Würde es ihn töten?

Nein. Aber vielleicht in Brand setzen.

Hast du sie deshalb geholt?

Ja.

Weil es niemanden gibt, dem man damit ein Signal geben könnte. Oder?

Ja.

Ich würde es gern mal sehen.

Du meinst, damit schießen?

Ja.

Wir können damit schießen.

Wirklich?

Klar.

Im Dunkeln?

Ja. Im Dunkeln.

Es könnte so was wie eine Feier sein.

Eine Feier. Ja.

Können wir heute Nacht damit schießen?

Warum nicht?

Ist sie geladen?

Nein. Aber wir können sie laden.

Die Pistole in der Hand, stand der Junge auf. Er zielte damit in Richtung Meer. Wow, sagte er.

Er zog sich an, und sie machten sich mit dem Rest ihrer Beute auf den Weg den Strand entlang. Was meinst du, wo die Leute hingegangen sind, Papa?

Die auf dem Boot gewesen sind?

Ja.

Das weiß ich nicht.

Glaubst du, sie sind gestorben?

Ich weiß nicht.

Aber ihre Chancen stehen nicht gut.

Der Mann lächelte. Ihre Chancen stehen nicht gut?

Nein. Oder doch?

Nein. Wahrscheinlich nicht.

Ich glaube, sie sind gestorben.

Vielleicht.

Ich glaube, das ist mit ihnen passiert.

Sie könnten irgendwo noch am Leben sein, sagte der Mann. Möglich ist es. Der Junge gab keine Antwort. Sie gingen weiter. Sie hatten ihre Füße in Segeltuch gewickelt, über dem sie primitive, aus einer blauen Plastikplane geschnittene Galoschen trugen, und sie hinterließen bei ihrem Hin und Her seltsame Spuren. Er dachte über den Jungen und über die Fragen nach, die ihn beschäftigten, und nach einer Weile sagte er: Wahrscheinlich hast du recht. Wahrscheinlich sind sie tot.

Wenn sie nämlich noch am Leben wären, hätten wir ihnen ihre Sachen gestohlen.

Und wir stehlen niemandem seine Sachen.

Ich weiß.

Okay.

Was glaubst du, wie viele Leute sind noch am Leben?

Auf der Welt?

Ja, auf der Welt.

Ich weiß nicht. Lass uns einen Moment ausruhen.

Okay.

Ich kann bei deinem Tempo nicht mithalten.

Okay.

Sie setzten sich zwischen ihre Bündel.

Wie lange können wir hierbleiben, Papa?

Das hast du mich schon mal gefragt.

Ich weiß.

Wir werden sehen.

Das heißt, nicht sehr lang.

Wahrscheinlich.

Der Junge bohrte mit den Fingern Löcher in den Sand, die sich zu einem Kreis fügten. Der Mann sah ihm zu. Ich weiß nicht, wie viele Leute es noch gibt, sagte er. Ich glaube nicht, dass es sehr viele sind.

Ich weiß. Er zog sich die Decke enger um die Schultern und blickte den grauen, öden Strand entlang.

Was ist denn?, fragte der Mann.

Nichts.

Nein. Sag es mir.

Irgendwo anders könnten doch noch Leute am Leben sein.

Wo denn?

Ich weiß nicht. Irgendwo.

Du meinst, außer auf der Erde?

Ja.

Das glaube ich nicht. Woanders könnten sie nicht leben.

Nicht mal, wenn sie irgendwie dorthin kämen?

Nein.

Der Junge wandte den Blick ab.

Was ist denn?, fragte der Mann.

Der Junge schüttelte den Kopf. Ich weiß nicht, was wir hier machen, sagte er.

Der Mann setzte zu einer Antwort an. Doch er blieb stumm.

Nach einer Weile sagte er: Es gibt noch Leute. Es gibt noch Leute, und wir werden sie finden. Du wirst schon sehen.

Er machte Essen, während der Junge im Sand spielte. Er hatte eine Schaufel, die aus einer flachgedrückten Konservendose gemacht war, und damit baute er ein kleines Dorf. Er zog ein Netz von Straßen. Der Mann ging davor in die Hocke und betrachtete es. Der Junge blickte auf. Der Ozean wird es kaputt machen, stimmt's?, sagte er.

Ja.

Das ist okay.

Kannst du das Alphabet schreiben?

Ja, kann ich.

Wir arbeiten gar nicht mehr an deinen Lektionen.

Ich weiß.

Kannst du etwas in den Sand schreiben?

Vielleicht könnten wir den Guten einen Brief schreiben. Wenn sie dann hier vorbeikämen, wüssten sie, dass wir hier waren. Wir könnten es da oben hinschreiben, wo es nicht weggespült wird.

Und wenn die Bösen es sähen?

Stimmt.

Das hätte ich nicht sagen sollen. Wir könnten ihnen einen Brief schreiben.

Der Junge schüttelte den Kopf. Ist schon okay, sagte er.

Er lud die Leuchtpistole, und sobald es dunkel war, marschierten sie los, den Strand entlang und weg vom Feuer, und er fragte den Jungen, ob er schießen wolle.

Schieß du, Papa. Du weißt, wie das geht.

Okay.

Er spannte den Hahn, richtete die Pistole auf den Himmel über der Bucht und drückte ab. Mit langgezogenem Zischen flog die Leuchtkugel im Bogen in die Düsternis empor und explodierte irgendwo über dem Wasser zu einem trüben Licht, das eine Zeitlang am Himmel hing. Die heißen Magnesiumschlieren trieben langsam in der Dunkelheit herab, und das fahle, ufernahe Wasser leuchtete in dem Gleißen auf und verglomm langsam wieder.

Sehr weit könnten sie das aber nicht sehen, oder, Papa?

Wer?

Irgendwer.

Nein. Nicht weit.

Wenn man zeigen wollte, wo man ist.

Du meinst, den Guten?

Ja. Oder sonstwelchen Leuten, die wissen sollen, wo man ist.

Wer denn zum Beispiel?

Ich weiß nicht.

Gott?

Ja. Vielleicht so jemand.

Am Morgen machte er ein Feuer und ging ein Stück den Strand entlang, während der Junge schlief. Er war nicht lange fort, doch ihn befiel ein seltsames Unbehagen, und als er zurückkam, stand der Junge, in seine Decken gehüllt, auf dem Strand und wartete auf ihn. Der Mann beschleunigte seine Schritte. Als er bei dem Jungen ankam, setzte dieser sich hin.

Was ist denn?, fragte er. Was ist denn?

Mir geht es nicht gut, Papa.

Er legte dem Jungen die Hand auf die Stirn. Sie glühte. Er

hob ihn auf und trug ihn zum Feuer. Alles okay, sagte er. Du wirst schon wieder.

Ich glaube, mir wird gleich schlecht.

Das ist schon okay.

Er saß neben ihm im Sand und hielt ihm den Kopf, während der Junge sich vorbeugte und übergab. Mit der Hand wischte er ihm den Mund ab. Es tut mir leid, sagte der Junge. Pst. Du hast doch nichts Unrechtes getan.

Er trug ihn zum Lagerplatz und deckte ihn zu. Er versuchte ihn dazu zu bringen, dass er etwas Wasser trank. Er legte mehr Holz aufs Feuer und kniete sich neben ihn, die Hand auf seiner Stirn. Du wirst schon wieder, sagte er. Er hatte schreckliche Angst.

Geh nicht weg, sagte der Junge.

Natürlich gehe ich nicht weg.

Auch nicht kurz.

Nein. Ich bleibe bei dir.

Okay. Okay, Papa.

Er hielt ihn die ganze Nacht in den Armen, döste immer wieder ein und schreckte entsetzt hoch, um nach dem Herzen des Jungen zu tasten. Am Morgen ging es ihm nicht besser. Er versuchte ihn dazu zu bringen, dass er etwas Saft trank, aber der Junge wollte nicht. Er presste ihm die Hand auf die Stirn, beschwor eine Kühle herauf, die sich nicht einstellen wollte. Er wischte ihm, während er schlief, den weißen Mund. Ich werde mein Versprechen halten, flüsterte er. Ganz gleich, was passiert. Ich werde dich nicht allein in die Dunkelheit schicken.

Er sah den Erste-Hilfe-Kasten vom Boot durch, doch darin fand sich nicht viel Brauchbares. Aspirin. Mullbinden und Desinfektionsmittel. Ein paar Antibiotika, allerdings mit abgelaufenem Haltbarkeitsdatum. Doch das war alles, was er hatte, und er half dem Jungen beim Trinken und legte ihm eine der Kapseln auf die Zunge. Der Junge war schweißgebadet. Er hatte ihn bereits aus den Decken geschält, nun zog er ihm auch die Jacke und dann die restlichen Kleider aus und rückte ihn vom Feuer weg. Der Junge blickte zu ihm auf. Mir ist so kalt, sagte er.

Ich weiß. Aber du hast richtig hohes Fieber, und wir müssen sehen, dass wir dich ein bisschen abkühlen.

Kann ich noch eine Decke haben?

Ja. Natürlich.

Du gehst doch nicht weg?

Nein. Ich gehe nicht weg.

Er trug die schmutzigen Kleider des Jungen in die Brandung und wusch sie, stand zitternd, von der Taille abwärts nackt, im kalten Wasser, schwenkte die Sachen darin hin und her und wrang sie aus. Auf schräg in den Sand gesteckten Stöcken breitete er sie am Feuer aus, legte Holz nach, setzte sich dann wieder zu dem Jungen und strich ihm das verfilzte Haar glatt. Am Abend öffnete er eine Dose Suppe, stellte sie in die Glut, aß und sah zu, wie die Dunkelheit hereinbrach. Als er aufwachte, lag er zitternd im Sand, das Feuer war fast völlig heruntergebrannt, und es war schwarze Nacht. Er fuhr hoch und tastete nach dem Jungen. Ja, flüsterte er. Ja.

Er fachte das Feuer wieder an, holte ein Tuch, befeuchtete es und legte es dem Jungen auf die Stirn. Das winterliche Morgengrauen brach an, und als es so hell war, dass er etwas sehen konnte, ging er in den Wald hinter den Dünen und kam mit einem großen Travois toter Äste und Zweige wieder, die er klein machte und in der Nähe des Feuer aufschichtete. Er zerdrückte mehrere Aspirintabletten in einem Becher, löste sie in Wasser auf, fügte etwas Zucker hinzu, setzte sich zu dem Jungen, hob ihm den Kopf an und hielt den Becher, während der Junge trank.

Vornübergebeugt und hustend ging er den Strand entlang. Er blieb stehen und blickte hinaus auf die dunklen Wogen. Er schwankte vor Erschöpfung. Er ging zurück, setzte sich zu dem Jungen, faltete das Tuch neu, wischte ihm das Gesicht ab und breitete ihm dann das Tuch über die Stirn. Du musst in der Nähe bleiben, sagte er. Du musst schnell sein. Damit du bei ihm sein kannst. Nimm ihn in die Arme. Der letzte Tag der Erde.

Der Junge schlief den ganzen Tag. Er weckte ihn immer wieder, um ihm das Zuckerwasser einzuflößen, und die trockene Kehle des Jungen arbeitete heftig. Du musst trinken, sagte er. Okay, ächzte der Junge. Der Mann drückte den Becher unter leichtem Drehen im Sand neben ihm fest, schob ihm die gefaltete Decke unter den schweißnassen Kopf und deckte ihn zu. Ist dir kalt?, fragte er. Aber der Junge war schon wieder eingeschlafen.

Er versuchte, die ganze Nacht wach zu bleiben, schaffte es jedoch nicht. Er wachte immer wieder auf, setzte sich hin, schlug sich ins Gesicht oder stand auf, um Holz nachzulegen. Er hielt den Jungen in den Armen und hörte, wenn er sich vorbeugte, das mühsame Atemholen. Seine Hand an der dünnen Sprossenleiter der Rippen. Er ging bis zum Rand des Lichtkreises, blieb, die geballten Fäuste auf dem Schädel, stehen und fiel, vor Zorn schluchzend, auf die Knie.

In der Nacht regnete es kurz, ein leises Trommeln auf der Plane. Er zog sie über sich und den Jungen, drehte sich zur Seite, nahm ihn in die Arme und sah durch das Plastik hindurch den blauen Flammen zu. Dann fiel er in einen traumlosen Schlaf.

Als er wieder aufwachte, fand er sich kaum zurecht. Das Feuer war ausgegangen, der Regen hatte aufgehört. Er warf die Plane zurück und stützte sich auf die Ellbogen. Graues Tageslicht. Der Junge beobachtete ihn. Papa, sagte er.

Ja, ich bin hier.

Kann ich einen Schluck Wasser haben?

Ja. Ja, natürlich. Wie fühlst du dich?

Irgendwie komisch.

Hast du Hunger.

Nein, bloß richtigen Durst.

Ich hole das Wasser.

Er warf die Decken zurück, stand auf, ging an dem toten Feuer vorbei, holte den Becher des Jungen, füllte ihn mit Wasser aus dem Plastikkanister, kam zu dem Jungen zurück, kniete sich neben ihn und hielt ihm den Becher. Du wirst schon wieder, sagte er. Der Junge trank. Er nickte und sah seinen Vater an. Dann trank er den Rest des Wassers. Mehr, sagte er.

Er machte ein Feuer, hängte die feuchten Kleider des Jungen auf Stöcke und brachte ihm eine Dose Apfelsaft. Kannst du dich überhaupt noch erinnern?, fragte er.

An was?

An das Kranksein.

Ich erinnere mich, wie wir mit der Leuchtpistole geschossen haben.

Erinnerst du dich, wie wir die Sachen vom Boot geholt haben?

Der Junge saß da und nippte an dem Apfelsaft. Er blickte auf. Ich bin doch nicht blöd, sagte er.

Das weiß ich doch.

Ich habe ein paar komische Träume gehabt.

Wovon denn?

Das will ich dir nicht sagen.

Das ist schon okay. Ich möchte, dass du dir die Zähne putzt.

Mit richtiger Zahnpasta.

Ja.

Okay.

Er überprüfte sämtliche Konserven, fand aber nichts Suspektes. Er sortierte einige aus, die stark angerostet waren. An diesem Abend saßen sie am Feuer, der Junge trank heiße Suppe, der Mann wendete die an den Stöcken hängenden, dampfenden Kleider und sah dem Jungen zu, bis es diesem

peinlich wurde. Hör auf, mich so anzuschauen, Papa, sagte
er.

Okay.

Aber er tat es nicht.

Zwei Tage später gingen sie, in ihren Plastiküberschuhen
durch den Sand stapfend, bis zu der Landspitze und zurück.
Sie aßen gewaltige Mahlzeiten, und er baute mit Seilen und
Stangen einen Wetterschutz aus Segeltuch. Sie reduzierten
ihre Vorräte auf eine für den Einkaufswagen verkraftbare Last,
und er meinte, dass sie in zwei Tagen aufbrechen könnten.
Dann sah er, als sie spät am Tag zum Lager zurückkamen, Stiefelabdrücke im Sand. Er blieb stehen und blickte den Strand
entlang. Mein Gott, sagte er. Mein Gott.

Was ist denn, Papa?

Er zog den Revolver aus dem Gürtel. Komm, sagte er. Beeil
dich.

Die Plane war weg. Ihre Decken. Die Wasserflasche und der
am Lagerplatz aufbewahrte Nahrungsmittelvorrat. Das Segeltuch hatte es in die Dünen geweht. Ihre Schuhe waren weg.
Er rannte durch die mit Strandhafer bestandene Senke zu der
Stelle, wo sie den Einkaufswagen gelassen hatten, doch auch
der war weg. Alles. Du blöder Esel, sagte er. Du blöder Esel.

Der Junge hatte die Augen weit aufgerissen. Was ist denn
passiert, Papa?

Sie haben alles mitgenommen. Komm.

Der Junge blickte auf. Er begann zu weinen.

Bleib bei mir, sagte der Mann. Bleib dicht bei mir.

Er sah die Wagenspuren, wo sie sich durch den lockeren Sand zogen. Stiefelabdrücke. Wie viele? Auf dem festeren Boden jenseits des Farngestrüpps verlor er die Spur, dann fand er sie wieder. An der Straße angelangt, brachte er den Jungen mit erhobener Hand zum Stehen. Die Straße war dem Seewind ausgesetzt und bis auf ein paar vereinzelte Stellen frei von Asche. Tritt nicht auf die Straße, sagte er. Und hör auf zu weinen. Wir müssen sämtlichen Sand von unseren Füßen abkriegen. Hier. Setz dich.

Er löste die Umhüllungen, schüttelte sie aus und schnürte sie wieder fest. Du musst mir helfen, sagte er. Wir suchen nach Sand. Sand auf der Straße. Und wenn es nur ein kleines bisschen ist. Um zu erkennen, in welche Richtung sie gegangen sind. Okay?

Okay.

Sie gingen in entgegengesetzte Richtungen los. Er war noch nicht weit gekommen, als er den Jungen rufen hörte. Hier ist es, Papa. Sie sind hier langgegangen. Er ging zu dem Jungen zurück, der auf der Straße kauerte. Hier, sagte er. Es war ein halber Teelöffel Meeressand, irgendwo vom Unterbau des Einkaufswagens herabgerieselt. Der Mann stand auf und blickte die Straße entlang. Gute Arbeit, sagte er. Gehen wir.

Sie trabten los, eine Gangart, die er eine ganze Weile aufrechterhalten zu können meinte, aber er schaffte es nicht. Er musste anhalten, vornübergebeugt und hustend. Keuchend blickte er zu dem Jungen auf. Wir müssen Schritttempo gehen, sagte er. Wenn sie uns hören, werden sie sich am Straßenrand verstecken. Komm.

Wie viele sind es, Papa?

Ich weiß nicht. Vielleicht nur einer.

Bringen wir sie um?

Ich weiß nicht.

Sie gingen weiter. Es war schon spät am Tag, und es verging eine weitere Stunde, die Dämmerung hatte längst eingesetzt, ehe sie den Dieb einholten, der, über den beladenen Wagen gebeugt, die Straße vor ihnen entlangtrottete. Als er sich umschaute und sie sah, versuchte er, mit dem Wagen zu laufen, aber es war sinnlos, und er hielt schließlich an und stellte sich, ein Schlachtermesser in der Hand, hinter den Wagen. Beim Anblick des Revolvers wich er zurück, doch das Messer ließ er nicht fallen.

Weg von dem Wagen, sagte der Mann.

Er sah sie an. Sah den Jungen an. Er war von einer der Kommunen ausgestoßen worden, und man hatte ihm die Finger der rechten Hand abgeschnitten. Er versuchte, sie hinter dem Rücken zu verbergen. Eine Art fleischiger Spatel. Der Wagen war hoch beladen. Er hatte alles mitgenommen.

Weg von dem Wagen und runter mit dem Messer.

Er sah sich um. Als hätte er von irgendwoher Hilfe zu erwarten. Mager, verkniffen, bärtig, schmutzig. Sein alter Plastikmantel von Klebeband zusammengehalten. Der Revolver war ein Double-action-Modell, trotzdem spannte der Mann den Hahn. Ein zweimaliges, lautes Klicken. Ansonsten nur ihr Atemgeräusch in dem Salzmoorland. Sie konnten ihn in seinen stinkenden Lumpen riechen. Wenn du nicht das Messer weglegst und von dem Wagen weggehst, sagte der Mann, blase ich dir das Gehirn aus dem Schädel. Der Dieb schaute das Kind an, und was er sah, ernüchterte ihn offenbar sehr.

Er legte das Messer oben auf die Decken und wich ein Stück zurück.

Zurück. Weiter.

Er wich erneut ein Stück zurück.

Papa?, sagte der Junge.

Sei still.

Er hielt den Blick auf den Dieb gerichtet. Du Schwein, sagte er.

Papa, bitte bring den Mann nicht um.

Die Augen des Mannes huschten wild hin und her. Der Junge weinte.

Hör schon auf, Mann. Ich hab getan, was du gesagt hast. Hör auf den Jungen.

Zieh dich aus.

Was?

Zieh dich aus. Bis auf den letzten Faden.

Hör schon auf. Mach doch nicht so was.

Ich bringe dich auf der Stelle um.

Lass das doch, Mann.

Ich sage es dir nicht nochmal.

Schon gut. Schon gut. Ganz ruhig.

Er zog sich langsam aus und legte seine scheußlichen Lumpen als kleines Häufchen auf die Straße.

Jetzt die Schuhe.

Was soll das, Mann.

Die Schuhe.

Der Dieb sah den Jungen an. Der hatte sich abgewandt und hielt sich die Ohren zu. Okay, sagte er. Okay. Er setzte sich nackt auf die Straße und begann die verrottenden Lederstücke zu lösen, die an seinen Füßen festgeschnürt waren. Dann stand er auf, die beiden Stücke in einer Hand.

Leg sie in den Wagen.

Der Dieb trat vor, legte die Schuhe oben auf die Decken und trat zurück. Stand nackt und bloß auf der Straße, eine schmutzige Hungergestalt. Bedeckte sich mit der Hand. Er zitterte bereits.

Leg die Kleider rein.

Er bückte sich, hob die Kleider auf und legte sie oben auf die Schuhe. Die Arme um sich geschlagen, stand er da. Mach doch nicht so was, Mann.

Du hast es doch auch mit uns gemacht.

Ich bitte dich.

Papa, sagte der Junge.

Komm schon. Hör auf das Kind.

Du hast versucht, uns umzubringen.

Ich bin am Verhungern, Mann. Du hättest es genauso gemacht.

Du hast alles mitgenommen.

Hör schon auf, Mann. Ich werde sterben.

Ich werde dich so zurücklassen, wie du uns zurückgelassen hast.

Hör schon auf. Ich bitte dich.

Er zog den Wagen zurück, wendete ihn, legte den Revolver obenauf und sah den Jungen an. Gehen wir, sagte er. Und während sie in Richtung Süden losmarschierten, blickte sich der weinende Junge immer wieder nach der nackten, zaundürren Gestalt um, die, zitternd und die Arme um sich geschlagen, auf der Straße stand. Ach, Papa, schluchzte er.

Hör auf damit.

Ich kann nicht aufhören.

Was meinst du, wie es uns ergangen wäre, wenn wir ihn nicht erwischt hätten? Hör auf.

Ich versuche es ja.

Als sie bei der Biegung in der Straße anlangten, stand der Mann immer noch da. Er konnte nirgendwo hin. Der Junge blickte immer wieder zurück, und als er ihn nicht mehr sehen konnte, blieb er stehen und setzte sich dann einfach schluchzend auf die Straße. Der Mann hielt an und betrachtete ihn. Er wühlte ihre Schuhe aus dem Wagen und begann, die Umhüllungen von den Füßen des Jungen zu lösen. Du musst zu weinen aufhören, sagte er.

Ich kann nicht.

Er zog ihm und sich die Schuhe an, dann stand er auf und ging die Straße zurück, ohne jedoch den Dieb zu sehen. Wieder bei dem Jungen angelangt, stellte er sich vor ihn. Er ist weg, sagte er. Komm.

Er ist nicht weg, sagte der Junge. Er blickte auf. Das Gesicht rußverschmiert. Er ist nicht weg.

Was willst du denn machen?

Ihm einfach nur helfen, Papa. Einfach nur helfen.

Der Mann blickte die Straße entlang zurück.

Er hat bloß Hunger gehabt, Papa. Er wird sterben.

Er wird sowieso sterben.

Er hat solche Angst, Papa.

Der Mann ging in die Hocke und sah ihn an. Ich habe Angst, sagte er. Verstehst du? Ich habe Angst.

Der Junge gab keine Antwort. Er saß einfach nur mit gesenktem Kopf da und schluchzte.

Du bist nicht derjenige, der sich um alles Gedanken machen muss.

Der Junge sagte etwas, aber er konnte ihn nicht verstehen. Was?, fragte er.

Der Junge blickte auf, sein Gesicht feucht und schmutzig. Doch, das bin ich, sagte er. Ich bin derjenige.

Sie rollten den schwankenden Wagen auf der Straße zurück, dann standen sie in der Kälte und der hereinbrechenden Dunkelheit und riefen, doch es kam niemand.

Er hat Angst zu antworten, Papa.

Ist das die Stelle, wo wir angehalten haben?

Ich weiß nicht. Ich glaube schon.

In der leeren Dämmerung gingen sie unter ständigem Rufen weiter die Straße entlang, und ihre Stimmen verloren sich über dem dunkel werdenden Küstenland. Sie blieben stehen, legten die Hände trichterförmig an den Mund und schrien sinnlos in die Ödnis hinein. Schließlich legte er Schuhe und Kleider des Mannes als kleines Häufchen auf die Straße. Er beschwerte sie mit einem Stein. Wir müssen gehen, sagte er. Wir müssen gehen.

Sie fanden eine trockene Stelle, wo sie ohne Feuer kampierten. Er suchte Dosen für das Abendessen heraus, machte sie auf dem Gasbrenner heiß, sie aßen, und die ganze Zeit blieb der Junge stumm. Der Mann versuchte, im blauen Licht des Gasbrenners sein Gesicht zu sehen. Ich wollte ihn doch gar nicht umbringen, sagte er. Doch der Junge gab keine Antwort. Sie wickelten sich in die Decken und lagen in der Dunkelheit. Er meinte, das Meer zu hören, aber vielleicht war es bloß der Wind. Am Atemgeräusch des Jungen erkannte er, dass dieser wach war, und nach einer Weile sagte der Junge: Aber wir haben ihn umgebracht.

Am Morgen aßen sie und machten sich auf den Weg. Der Wagen war so schwer beladen, dass man ihn nur mit Mühe schieben konnte, und eines der Räder gab allmählich den

Geist auf. Die Straße wand sich die Küste entlang, tote Besengrasbüschel hingen auf das Pflaster. In der Ferne die Bewegung der bleifarbenen See. Die Stille. Als er in jener Nacht aufwachte, waren im stumpfen grauschwarzen Licht des hinter der Düsterkeit dahinziehenden Mondes die Formen der Bäume eben erkennbar, und er drehte sich hustend weg. Geruch nach Regen da draußen. Der Junge war wach. Du musst mit mir reden, sagte er.

Ich versuche es.

Tut mir leid, dass ich dich geweckt habe.

Das macht nichts.

Er stand auf und ging zur Straße. Das schwarze Band verlief von Dunkelheit zu Dunkelheit. Dann ein fernes, leises Grollen. Kein Donner. Man spürte es unter den Füßen. Ein Geräusch, das keinem anderen ähnelte und somit nicht zu beschreiben war. Etwas Unwägbares, das sich dort draußen im Dunkel bewegte. Die Erde selbst, die sich vor Kälte zusammenzog. Es kam nicht wieder. Welche Jahreszeit? Wie alt war das Kind? Er trat auf die Straße und blieb stehen. Die Stille. Der Salitter vertrocknete in der Erde. Die schmutzfleckigen Umrisse überfluteter, bis auf die Wasserlinie niedergebrannter Städte. An einer Kreuzung ein mit Dolmensteinen besetztes Gelände, wo die beredten Knochen von Orakeln vor sich hin moderten. Kein Geräusch außer dem des Windes. Was wirst du sagen? Ein lebendiger Mensch hat diese Zeilen gesprochen. Hat mit seinem kleinen Taschenmesser einen Federkiel angespitzt, um mit Schlehdornsaft oder Lampenschwarz diese Dinge niederzuschreiben? In einem errechenbaren, auf einer Tafel niedergelegten Moment? Er kommt, um mir meine Augen zu stehlen. Mir den Mund mit Erde zu verschließen.

Erneut sah er eine nach der anderen die Dosen durch, hielt sie in der Hand und drückte sie wie jemand, der den Reifegrad einer Frucht prüft. Er sortierte zwei aus, die er für fragwürdig hielt, verstaute den Rest, belud den Wagen, und sie machten sich wieder auf den Weg. Drei Tage später erreichten sie eine kleine Hafenstadt, versteckten den Wagen in einer Garage hinter einem Haus, stellten ihn mit alten Kartons zu und warteten dann im Haus ab, ob jemand auftauchen würde. Es kam niemand. Er durchsuchte die Schränke, fand jedoch nichts. Er brauchte Vitamin D für den Jungen, damit dieser keine Rachitis bekam. Er stand am Ausguss und blickte die Einfahrt hinunter. In den schmutzigen Fensterscheiben gerann Licht, das die Farbe von Spülwasser hatte. Der Junge saß, den Kopf in den Armen, zusammengesunken am Tisch.

Sie gingen durch die Stadt und zum Hafen hinunter. Sie sahen niemanden. Der Revolver steckte in seiner Jackentasche, und er hatte die Leuchtpistole in der Hand. Sie traten auf den Landungssteg hinaus, dessen grobe Bretter von Teer gedunkelt und mit Hakennägeln an den Balken darunter befestigt waren. Holzpoller. Von der Bucht her ein leichter Geruch nach Salz und Kreosot. Am anderen Ufer eine Reihe Lagerhäuser und der Umriss eines Tankers, rotbraun vor Rost. Vor dem trüben Himmel ein hoher Brückenkran. Es ist niemand da, sagte er. Der Junge gab keine Antwort.

Sie rollten den Wagen durch die Nebenstraßen und über die Bahngleise und gelangten am anderen Ende der Stadt wieder auf die Hauptstraße. Als sie an den letzten ärmlichen Holzgebäuden vorbeikamen, pfiff etwas an seinem Kopf vorbei, prallte klappernd von der Straße ab und zerbrach an der Wand des Häuserblocks auf der anderen Seite. Er riss den Jungen zu Boden, ließ sich auf ihn fallen und packte den Wagen, um ihn an sie heranzuziehen. Der Wagen kippte um, Plane und Decken fielen auf die Straße. In einem der oberen Fenster des Hauses sah er einen Mann, der mit gespanntem Bogen auf sie zielte, und er drückte den Kopf des Jungen nach unten und versuchte, ihm mit seinem Körper Deckung zu geben. Er hörte das dumpfe Schwirren der Bogensehne und spürte einen scharfen, heißen Schmerz am Bein. Du Scheißkerl, sagte er. Du Scheißkerl. Er krallte die Decken zur Seite, langte nach der Leuchtpistole, richtete sich auf, spannte die Waffe und stützte den Arm auf den umgestürzten Wagen. Der Junge klammerte sich an ihn. Als der Bogenschütze wieder in den Fensterrahmen trat, um erneut den Bogen zu spannen, schoss er. Die Leuchtkugel zischte in langgezogenem weißem Bogen auf das Fenster zu, dann hörten sie den Mann schreien. Er packte den Jungen, drückte ihn zu Boden, zog die Decken über ihn. Rühr dich nicht, sagte er. Rühr dich nicht und schau nicht hin. Auf der Suche nach dem Kasten für die Leuchtpistole zerrte er die restlichen Decken aus dem Wagen auf die Straße. Der Kasten glitt schließlich heraus, er griff hastig danach, klappte ihn auf, nahm die Patronen heraus, lud die Pistole neu, ließ sie zuschnappen und steckte sich die restlichen Patronen in die Tasche. Bleib genau so, flüsterte er. Er tätschelte den Jungen durch die Decken hindurch, stand auf und rannte humpelnd über die Straße.

Die Leuchtpistole auf Hüfthöhe nach vorn gerichtet, betrat er das Haus durch die Hintertür. Es war bis auf die Wandständer ausgeräumt. Er ging ins Wohnzimmer, blieb am Treppenaufgang stehen und lauschte auf Bewegungen in den oberen Zimmern. Er blickte zum Fenster hinaus zu der Stelle, wo der Wagen lag, dann stieg er die Treppe hinauf.

In der Ecke saß eine Frau, die den Mann in den Armen hielt. Sie hatte ihre Jacke ausgezogen, um ihn zuzudecken. Sobald sie ihn sah, begann sie ihn zu beschimpfen. Die Leuchtpatrone war auf dem Boden zu einem Flecken weißer Asche verglüht, und im Zimmer hing ein leichter Geruch nach verbranntem Holz. Er trat ans Fenster und schaute hinaus. Der Blick der Frau folgte ihm. Dürr, strähniges graues Haar.

Wer ist noch hier oben?

Sie gab keine Antwort. Er trat an ihr vorbei und ging durch sämtliche Zimmer. Sein Bein blutete heftig. Er spürte, dass seine Hose an der Haut festklebte. Er kehrte ins vordere Zimmer zurück. Wo ist der Bogen?, fragte er.

Ich habe ihn nicht.

Wo ist er?

Das weiß ich nicht.

Sie haben dich hier gelassen, stimmt's?

Das war meine eigene Entscheidung.

Er drehte sich um, humpelte die Treppe hinunter, öffnete die Eingangstür und ging, den Blick auf das Haus gerichtet, rückwärts auf die Straße hinaus. Beim Wagen angelangt, stellte er ihn auf die Räder und lud ihre Sachen wieder ein. Bleib ganz nahe bei mir, flüsterte er. Ganz nahe.

Sie richteten sich in einem Lagergebäude am Ende der Stadt ein. Er rollte den Wagen durch die Halle in ein Zimmer auf der Rückseite, schloss die Tür und klemmte den Wagen unter die Klinke. Er wühlte den Brenner und die Gasflasche hervor, zündete den Brenner an, stellte ihn auf den Boden, löste seinen Gürtel und zog die blutdurchtränkte Hose aus. Der Junge sah zu. Der Pfeil hatte knapp über dem Knie eine etwa sieben Zentimeter lange klaffende Wunde gerissen. Sie blutete noch, sein ganzer Oberschenkel war verfärbt, und er konnte sehen, dass der Schnitt tief war. Offenbar eine breite Spitze, aus einem Stück Verpackungsbandeisen, einem alten Löffel oder Gott weiß was selbst geschmiedet. Er sah den Jungen an. Sieh mal nach, ob du den Erste-Hilfe-Kasten finden kannst, sagte er.

Der Junge rührte sich nicht.

Hol den Erste-Hilfe-Kasten, verdammt nochmal. Sitz nicht einfach so herum.

Der Junge sprang auf, ging zur Tür und begann, unter der Plane und den im Wagen gestapelten Decken zu wühlen. Er kam mit dem Kasten zurück und gab ihn dem Mann, der ihn kommentarlos entgegennahm, vor sich auf den Betonboden stellte, die Verschlüsse aufschnappen ließ und ihn aufklappte. Er griff nach dem Gasbrenner und drehte ihn auf, um mehr Licht zu haben. Bring mir die Wasserflasche, sagte er. Der Junge brachte die Flasche, der Mann schraubte den Deckel ab, goss Wasser über die Wunde und hielt sie mit den Fingern zu, während er das Blut wegwischte. Er säuberte die Wunde mit Desinfektionsmittel, riss mit den Zähnen eine kleine Plastikhülle auf und nahm eine kleine gekrümmte Nähnadel und eine Rolle Seidenfaden heraus, die er ans Licht hielt, um den Faden durch das Nadelöhr zu fädeln. Er nahm eine Klemme aus dem Kasten, fasste damit die Nadel, arretierte die Klemmbacken und machte sich daran, die Wunde zu nähen. Er arbeitete rasch und gab sich keine große Mühe damit. Der Junge kauerte auf dem Boden. Er sah ihn an, und der Mann beugte sich wieder über die Nähte. Du musst nicht zusehen, sagte er.

Ist es okay?

Ja. Es ist okay.

Tut es weh?

Ja. Es tut weh.

Er schlang einen Knoten, zog ihn fest, schnitt mit der Schere aus dem Kasten das überstehende Ende ab und sah den Jungen an. Der Junge betrachtete die Naht.

Tut mir leid, dass ich dich angeschrien habe.

Er blickte auf. Das ist schon in Ordnung, Papa.

Lass uns nochmal von vorn anfangen.

Okay.

Am Morgen regnete es, und ein kräftiger Wind rüttelte an der Glasscheibe auf der Rückseite des Gebäudes. Er blickte hinaus. Ein halb zusammengestürztes und im Wasser der Bucht liegendes Stahldock. Aus der grauen Kabbelung ragten die Ruderhäuser gesunkener Fischerboote. Nichts regte sich dort draußen. Alles, was sich hatte regen können, war längst weggeweht worden. Sein Bein pochte, er nahm den Verband ab, desinfizierte die Wunde und betrachtete sie. Das Fleisch in der Schnürung der schwarzen Fäden geschwollen und verfärbt. Er verband die Wunde und zog seine von Blut steife Hose an.

Zwischen den Kartons und Kisten sitzend, verbrachten sie den Tag dort. Du musst mit mir reden, sagte er.

Ich rede doch.

Bist du sicher?

Ich rede doch gerade.

Soll ich dir eine Geschichte erzählen?

Nein.

Warum nicht?

Der Junge sah ihn an und wandte den Blick ab.

Warum nicht?

Diese Geschichten sind nicht wahr.

Das müssen sie auch nicht sein. Es sind Geschichten.

Ja. Aber in den Geschichten helfen wir andauernd jemandem, dabei tun wir das in Wirklichkeit gar nicht.

Warum erzählst du mir nicht eine Geschichte?

Ich will nicht.

Okay.

Ich habe keine Geschichten zu erzählen.

Du könntest mir eine Geschichte über dich selbst erzählen.

Die Geschichten über mich kennst du schon alle. Du warst dabei.

Du hast Geschichten in deinem Inneren, von denen ich nichts weiß.

Du meinst, so was wie Träume?

Ja. Oder einfach Sachen, über die du nachdenkst.

Ja, aber Geschichten sollen doch schön sein.

Nicht unbedingt.

Du erzählst immer schöne Geschichten.

Kennst du denn keine schönen?

Meine haben mehr mit dem wirklichen Leben zu tun.

Und meine nicht?

Deine nicht. Nein.

Der Mann betrachtete ihn. Und das wirkliche Leben ist ziemlich übel?

Was denkst du denn?

Tja, ich denke, es gibt uns noch. Es sind viele schlimme Sachen passiert, aber es gibt uns immer noch.

Ja.

Du findest das nicht so toll.

Es ist okay.

Sie hatten einen Arbeitstisch an die Fenster gezogen und ihre Decken darauf ausgebreitet, und dort lag der Junge auf dem Bauch und blickte auf die Bucht hinaus. Der Mann saß mit ausgestrecktem Bein da. Auf der Decke zwischen ihnen lagen die beiden Schusswaffen und die Schachtel mit den Leuchtkugeln. Nach einer Weile sagte der Mann: Ich finde sie ziemlich gut. Es ist eine ziemlich gute Geschichte. Sie hat etwas zu bedeuten.

Schon gut, Papa. Ich will bloß ein bisschen meine Ruhe.

Was ist mit Träumen? Manchmal hast du mir Träume erzählt.

Ich will über nichts reden.

Okay.

Ich habe sowieso keine guten Träume. Sie handeln immer davon, dass etwas Schlimmes passiert. Du hast gesagt, das ist okay, weil gute Träume kein gutes Zeichen sind.

Vielleicht. Ich weiß es nicht.

Wenn du aufwachst und hustest, gehst du die Straße entlang oder sonstwohin, aber ich kann dich trotzdem husten hören.

Das tut mir leid.

Einmal habe ich dich weinen hören.

Ich weiß.

Wenn ich nicht weinen soll, dann sollst du es auch nicht.

Okay.

Wird dein Bein wieder heil?

Ja.

Das sagst du nicht einfach nur so?

Nein.

Es sieht nämlich richtig schlimm verletzt aus.

So schlimm ist es nicht.

Der Mann hat versucht, uns umzubringen, stimmt's?

Ja.

Hast du ihn umgebracht?

Nein.

Ist das die Wahrheit?

Ja.

Okay.

Ist jetzt wieder alles in Ordnung?

Ja.

Ich dachte, du willst nicht reden?

Will ich auch nicht.

Als sie zwei Tage später aufbrachen, humpelte der Mann hinter dem Wagen her, und der Junge hielt sich dicht an seiner Seite, bis sie die Außenbezirke der Stadt hinter sich gelassen hatten. Die Straße verlief an der flachen grauen Küste entlang, und der Wind hatte Sandverwehungen darauf zurückgelassen. Das erschwerte das Gehen, und stellenweise mussten sie sich mit einem Brett, das sie auf der unteren Ablage des Einkaufswagens mit sich führten, den Weg frei schaufeln. Sie bogen auf den Strand ab, setzten sich in den Windschatten der Dünen und studierten die Karte. Sie hatten den Gasbrenner mitgenommen, erhitzten Wasser und machten, zum Schutz gegen den Wind in ihre Decken eingehüllt, Tee. Ein Stück weit die Küste entlang das verwitterte Holzgerippe eines alten Schiffes. Graue, vom Sand abgeschmirgelte Balken, alte, handgedrehte Schrauben. Die schrundigen Eisenbeschläge tiefviolett, in irgendeinem Luppenfeuer in Cádiz oder Bristol geschmolzen, auf einem geschwärzten Amboss geschmiedet und gut genug, um dreihundert Jahre gegen das Meer zu überdauern. Am folgenden Tag kamen sie zwischen den mit Brettern vernagelten Ruinen eines Badeorts hindurch und nahmen die Straße landeinwärts durch einen Kiefernwald, das lange schwarze Asphaltband von Nadelverwehungen bedeckt, der Wind in den dunklen Bäumen.

Mittags, zur Zeit des besten Lichts, saß er auf der Straße, schnitt mit der Schere die Nähte durch, legte die Schere in den Kasten zurück und nahm die Klemme heraus. Dann machte er sich daran, die dünnen schwarzen Fäden unter Gegendruck mit der Daumenkuppe aus der Haut zu ziehen. Der Junge saß ebenfalls auf der Straße und sah zu. Der Mann fasste die Enden der Fäden mit den Backen der Klemme und zog einen nach dem anderen heraus. Kleine Blutpünktchen. Als er fertig war, räumte er die Klemme weg, klebte Gaze auf die Wunde, stand auf, zog sich die Hose hoch und reichte dem Jungen den Kasten, damit er ihn verstaute.

Das hat weh getan, oder?, fragte der Junge.

Ja, das hat es.

Bist du richtig tapfer?

So mittel.

Was war das Tapferste, das du je getan hast?

Er spuckte ein blutiges Schleimklümpchen auf die Straße. Dass ich heute Morgen aufgestanden bin, sagte er.

Wirklich?

Nein. Hör nicht auf mich. Komm, gehen wir.

Am Abend der düstere Umriss einer weiteren Küstenstadt, die Ansammlung hoher Gebäude auf unbestimmte Weise schief. Er vermutete, dass der Armierungsstahl in der Hitze weich und dann wieder fest geworden war, sodass die Gebäude nun nicht mehr senkrecht standen. Das geschmolzene Fensterglas zog sich die Mauern hinab wie Zuckerguss auf einem Kuchen. Sie gingen weiter. Nachts, in der schwarzen, eiskalten Einöde erwachte er nun zuweilen aus zartkolorierten Welten von menschlicher Liebe, Vogelgesang und Sonne.

Er legte die Stirn auf die an der Haltestange des Wagens verschränkten Arme und hustete. Er spuckte blutigen Schleim. Immer öfter musste er nun anhalten und ausruhen. Der Junge sah ihm zu. In einer anderen Welt hätte das Kind schon begonnen, ihn aus seinem Leben zu streichen. Aber der Junge hatte kein sonstiges Leben. Der Mann wusste, dass der Junge nachts wach lag und darauf horchte, ob er noch atmete.

Ungezählt und unverzeichnet schleppten sich die Tage dahin. Auf dem Highway in der Ferne lange Schlangen verkohlter und rostender Autos. Die nackten Felgen als geschwärzte Metallringe in einem steifen grauen Brei aus geschmolzenem Gummi sitzend. Die verbrannten Leiber auf Kindergröße geschrumpft und an die bloßliegenden Federn der Sitze gelehnt. Zehntausend Träume in ihren verschmorten Herzen begraben. Sie gingen weiter. Nahmen die tote Welt unter die Füße wie Ratten in einem Rad. Die Nächte totenstill und totschwarz. So kalt. Sie redeten kaum noch. Er hustete unentwegt, und der Junge sah zu, wie er Blut spuckte. Sich dahinschleppte. Schmutzig, zerlumpt, hoffnungslos. Immer wieder hielt er an und stützte sich auf den Wagen, der Junge ging zunächst weiter, blieb dann ebenfalls stehen und blickte zurück, und dann hob er die tränenden Augen und sah ihn auf der Straße stehen und aus irgendeiner unvorstellbaren Zukunft auf ihn zurückblicken, in der Ödnis schimmernd wie ein Tabernakel.

Die Straße durchquerte einen ausgetrockneten Morast, wo Eisrohre wie Formationen in einer Höhle aus dem gefrorenen Matsch ragten. Am Straßenrand die Überreste eines alten Feuers. Dahinter ein langer Betondamm. Ein toter Sumpf. Aus dem grauen Wasser ragend tote Bäume mit Schleppen aus grauen Moosresten. An der Bordschwelle seidige Aschehäufchen. Er stützte sich auf die grobe Betonbrüstung. Vielleicht wäre es in der Zerstörung der Welt endlich möglich zu erkennen, woraus sie bestand. Ozeane, Berge. Das gewichtige Gegenschauspiel von Dingen, die zu bestehen aufhören. Die allumfassende Ödnis, ödematisch und von kalter Profanität. Die Stille.

Seit einiger Zeit stießen sie immer wieder auf Windbrüche toter Kiefern, große, aus der Landschaft gemähte Schwaden der Zerstörung. Über das Terrain verstreut Gebäudetrümmer und, wie Gestricktes ineinanderverwickelt, Kabelstränge von den Masten am Straßenrand. Die Straße war mit Schutt übersät, und es war schwere Arbeit, mit dem Wagen durchzukommen. Schließlich saßen sie einfach am Straßenrand und starrten auf das, was vor ihnen lag. Dächer von Häusern, die Stämme von Bäumen. Ein Boot. Der offene Himmel dahinter, wo in der Ferne die trübe See träge wogte.

Sie durchwühlten die entlang der Straße verstreuten Trümmer, und er fand schließlich eine Segeltuchtasche, die er sich über die Schulter hängen konnte, und einen kleinen Koffer für den Jungen. Sie verpackten ihre Decken, die Plane und den Rest der Konserven, ließen den Wagen stehen und machten sich mit ihren Rucksäcken, dem Koffer und der Reisetasche auf den Weg. Kraxelten durch die Ruinen. Kamen nur langsam voran. Er musste stehenbleiben und ausruhen. Er saß auf einem Sofa am Straßenrand, die Polster von der Feuchtigkeit aufgequollen. Vornübergebeugt, hustend. Er zog sich den blutbefleckten Mundschutz vom Gesicht, stand auf, spülte ihn im Straßengraben, wrang ihn aus und stand dann einfach auf der Straße. Sein Atem ein weißes Wölkchen. Der Winter war nah. Er drehte sich um und sah den Jungen an. Der mit seinem Koffer wie eine Waise wirkte, die auf den Bus wartet.

Zwei Tage später kamen sie zu einem Tidefluss, wo eine eingestürzte Brücke im langsam sich bewegenden Wasser lag. Sie saßen auf der kaputten Böschungsmauer der Straße und sahen zu, wie der Fluss zurückströmte und über das eiserne Gitterwerk spielte. Er blickte über das Wasser auf das Land dahinter.

Was machen wir jetzt, Papa?, fragte er.

Ja, was?, sagte der Junge.

Sie gingen auf die lange, spitz zulaufende Schlammbank hinaus, wo halb begraben ein kleines Boot lag, und betrachteten es. Es war nur noch ein Wrack. Der Wind brachte Regen mit sich. Auf der Suche nach einem Unterschlupf stapften sie mit ihrem Gepäck den Strand entlang, fanden aber keine geeignete Stelle. Er schob etwas von dem knochenfarbenen Holz, das überall herumlag, zusammen und brachte ein Feuer in Gang, und dann saßen sie, die Plane über die Köpfe gezogen, in den Dünen und sahen zu, wie von Norden der kalte Regen herankam. Er fiel kräftiger, bohrte kleine Grübchen in den Sand. Das Feuer dampfte, der Rauch verwirbelte zu trägen Schleifen, und der Junge rollte sich unter der trommelnden Plane zusammen und war bald eingeschlafen. Der Mann zog sich das Plastik wie eine Kapuze über den Kopf, betrachtete die graue, weiter draußen von Regen verhüllte See und sah zu, wie sich die Brandung am Ufer brach und über den dunklen, punktierten Sand wieder zurückwich.

Am nächsten Tag wandten sie sich landeinwärts. Eine riesige, flache Niederung, wo Farne, Hortensien und wilde Orchideen als aschene Abbilder ihrer selbst überdauerten, die der Wind noch nicht erreicht hatte. Das Vorwärtskommen war eine einzige Qual. Zwei Tage später, als sie auf einer Straße herauskamen, stellte er die Tasche ab, setzte sich, die Arme auf Brusthöhe verschränkt, vornübergebeugt auf den Boden und hustete, bis er nicht mehr husten konnte. Weitere zwei Tage später hatten sie vielleicht fünfzehn Kilometer zurückgelegt. Sie überquerten den Fluss und kamen kurz darauf an eine Kreuzung. Weiter südlich war ein Sturm über die Landenge hinweggezogen und hatte von Ost nach West die toten schwarzen Bäume zu Boden gedrückt wie Halme auf dem Grund eines Flusses. Hier kampierten sie, und als er sich hinlegte, wusste er, dass er nicht weitergehen konnte und dass dies der Ort war, an dem er sterben würde. Der Junge saß da und betrachtete ihn mit feucht werdenden Augen. O Papa, sagte er.

Er sah ihn durch das Gras kommen und mit dem Becher Wasser, den er geholt hatte, niederknien. Überall um ihn herum war Licht. Er nahm den Becher, trank und legte sich zurück. Zu essen hatten sie noch eine einzige Dose Erbsen, doch er bestand darauf, dass der Junge sie aß, und wollte nichts davon haben. Ich kann nicht, sagte er. Das ist schon in Ordnung so.

Ich hebe deine Hälfte auf.

Okay. Heb sie bis morgen auf.

Der Junge nahm den Becher und entfernte sich, und als er sich bewegte, bewegte das Licht sich mit ihm. Er hatte aus der Plane ein Zelt machen wollen, aber der Mann hatte ihn nicht gelassen. Er sagte, er wolle nicht, dass ihn irgendetwas zudeckte. Er lag da und betrachtete den am Feuer sitzenden Jungen. Er wollte sehen können. Sieh dich um, sagte er. In der langen Chronik der Erde gibt es keinen Propheten, dem hier und heute nicht die Ehre erwiesen würde. In welcher Form du auch gesprochen hast, du hattest recht.

Der Junge meinte, im Wind feuchte Asche zu riechen. Er ging die Straße hinauf, zerrte, als er zurückkam, ein Stück Sperrholz aus dem Abfall an der Straße hinter sich her, hämmerte mit einem Stein Stöcke in den Boden und baute mit dem Sperrholz einen wackeligen Unterstand, doch am Ende regnete es dann doch nicht. Er ließ die Leuchtpistole da und suchte, mit dem Revolver bewaffnet, nach etwas Essbarem, kam jedoch mit leeren Händen wieder. Der Mann ergriff schwer atmend seine Hand. Du musst weitergehen, sagte er. Ich kann nicht mitkommen. Du musst immer weitergehen. Du weißt nicht, was es weiter die Straße entlang geben könnte. Wir haben immer Glück gehabt. Du wirst wieder Glück haben. Du wirst es sehen. Geh nur. Das ist schon in Ordnung.

Ich kann nicht.

Das ist schon in Ordnung. Es hat sich seit längerer Zeit angekündigt. Jetzt ist es so weit. Geh immer nach Süden. Mach alles so, wie wir es gemacht haben.

Du wirst wieder gesund, Papa. Du musst.

Nein, das werde ich nicht. Trage immer den Revolver bei dir. Du musst die Guten finden, aber du darfst keine Risiken eingehen. Keine Risiken. Hörst du?

Ich möchte bei dir bleiben.

Das geht nicht.

Bitte.

Das geht nicht. Du musst das Feuer bewahren.

Ich weiß nicht, wie.

Doch, das weißt du.

Ist es echt? Das Feuer?

Ja, es ist echt.

Wo ist es? Ich weiß nicht, wo es ist.

Doch, das weißt du. Es ist in dir. Es war immer da. Ich kann es sehen.

Nimm mich einfach mit. Bitte.

Ich kann nicht. Ich kann meinen Sohn nicht tot in den Armen halten. Ich dachte, ich könnte es, aber ich kann nicht.

Du hast gesagt, du würdest mich nie verlassen.

Ich weiß. Es tut mir leid. Mein ganzes Herz gehört dir. Das war schon immer so. Du bist der Beste. Das warst du schon immer. Wenn ich nicht mehr da bin, kannst du immer noch mit mir reden. Du kannst mit mir reden, und ich werde mit dir reden. Du wirst sehen.

Kann ich dich dann hören?

Ja, das kannst du. Du musst es einfach so machen, dass du dir das Reden vorstellst. Dann wirst du mich hören. Du musst üben. Gib bloß nicht auf. Okay?

Okay.

Okay.

Ich habe richtig Angst, Papa.

Ich weiß. Aber du schaffst das schon. Du wirst Glück haben. Das weiß ich. Ich muss jetzt mit Reden aufhören. Ich fange gleich zu husten an.

Das ist schon okay, Papa. Du musst nicht reden. Das ist okay.

Er ging die Straße hinunter, so weit er sich traute, und kam dann zurück. Sein Vater schlief. Er saß bei ihm unter dem Sperrholz und betrachtete ihn. Er machte die Augen zu, redete mit ihm, hielt die Augen geschlossen und lauschte. Dann versuchte er es erneut.

Leise hustend wachte er im Dunkeln auf. Er lag da und lauschte. Der Junge saß, in eine Decke gehüllt, am Feuer und betrachtete ihn. Tropfen von Wasser. Schwindendes Licht. Alte, der Wachwelt aufgenötigte Träume. Das Tropfen war in der Höhle. Das Licht war eine Kerze, die der Junge auf einen Ringstock aus gehämmertem Kupfer gesteckt hatte. Das Wachs auf die Steine getropft. Im abgestorbenen Löß Spuren unbekannter Geschöpfe. In jenem kalten Gang hatten sie den Punkt erreicht, von dem an es kein Zurück mehr gab, den Punkt, der sich von Anfang an einzig nach dem Licht bemaß, das sie mit sich führten.

Erinnerst du dich an den kleinen Jungen, Papa?

Ja, ich erinnere mich.

Meinst du, es geht ihm gut, dem kleinen Jungen?

O ja. Das glaube ich schon.

Meinst du, er hat sich verirrt?

Nein. Ich glaube nicht, dass er sich verirrt hat.

Ich habe Angst, dass er sich verirrt hat.

Ich glaube, ihm geht es gut.

Aber wer wird ihn finden, wenn er sich verirrt hat? Wer wird den kleinen Jungen finden?

Das Gute wird ihn finden. Das war schon immer so. Und wird auch wieder so sein.

In jener Nacht schlief er an seinen Vater geschmiegt und die Arme um ihn geschlungen, doch als er am Morgen erwachte, war sein Vater kalt und steif. Lange Zeit saß er weinend da, dann stand er auf und ging durch den Wald zur Straße. Zurückgekehrt, kniete er neben seinem Vater nieder, hielt seine kalte Hand und sagte immer wieder seinen Namen.

Er blieb drei Tage, dann ging er auf die Straße hinaus, schaute die Straße entlang und schaute zurück in die Richtung, aus der sie gekommen waren. Es kam jemand. Er machte Anstalten, sich wieder in den Wald zurückzuziehen, tat es dann aber doch nicht. Er blieb einfach auf der Straße stehen und wartete, den Revolver in der Hand. Er hatte sämtliche Decken über seinen Vater gebreitet, und er fror und hatte Hunger. Der Mann, der nun in Sicht kam und bald darauf vor ihm stand und ihn ansah, trug einen grau-gelb gemusterten Skianorak. Über seiner Schulter hing an einem geflochtenen Lederband mit dem Lauf nach unten eine Schrotflinte, und um die Brust hatte er einen Nylongurt geschlungen, der mit Flintenpatronen bestückt war. Ein Veteran alter Scharmützel, bärtig, die Wange narbig, mit eingedrücktem Jochbein, das eine Auge in ständiger Bewegung. Als er sprach, funktionierte sein Mund nicht richtig. Ebenso, wenn er lächelte.

Wo ist der Mann, mit dem du zusammen warst?

Er ist gestorben.

War das dein Vater?

Ja. Das war mein Papa.

Das tut mir leid.

Ich weiß nicht, was ich tun soll.

Ich denke, du solltest mit mir kommen.

Bist du einer von den Guten?

Der Mann zog sich die Kapuze vom Kopf. Sein Haar war lang und verfilzt. Er blickte zum Himmel auf. Als ob es dort etwas zu sehen gäbe. Er sah den Jungen an. Ja, sagte er. Ich bin einer von den Guten. Warum nimmst du nicht den Revolver runter?

Ich darf den Revolver niemandem geben. Ganz gleich, was passiert.

Ich will deinen Revolver nicht. Ich will bloß nicht, dass du ihn auf mich richtest.

Okay.

Wo sind eure Sachen?

Wir haben nicht viele Sachen.

Hast du einen Schlafsack?

Nein.

Was hast du denn? Ein paar Decken?

In die ist mein Papa gewickelt.

Zeig es mir.

Der Junge rührte sich nicht. Der Mann beobachtete ihn.

Er ließ sich auf ein Knie nieder, schwang die Schrotflinte unter dem Arm hindurch nach vorn und stützte sich auf den Schaft. Die Patronen in den Schlaufen des Gurtes waren von Hand geladen, die Hülsenböden mit Wachs abgedichtet. Er roch nach Holzrauch. Pass auf, sagte er. Du hast zwei Möglichkeiten. Es hat ziemliche Diskussionen gegeben, ob wir euch überhaupt suchen gehen sollen. Du kannst hier bei deinem Papa bleiben und sterben, oder du kannst mit mir kommen. Wenn du hierbleibst, musst du dich von der Straße fernhalten. Ich weiß nicht, wie ihr es überhaupt so weit geschafft habt. Aber du solltest mit mir gehen. Damit fährst du am besten.

Woher weiß ich, dass du wirklich einer von den Guten bist?

Gar nicht. Das musst du riskieren.

Bewahrst du das Feuer?

Ob ich was?

Ob du das Feuer bewahrst.

Du bist irgendwie abgedreht, was?

Nein.

Bloß ein bisschen.

Ja.

Das macht nichts.

Was ist denn jetzt mit dem Feuer?

Was, ob ich es bewahre?

Ja.

Ja, das tun wir.

Hast du Kinder?

Ja, wir haben Kinder.

Hast du auch einen kleinen Jungen?

Wir haben einen kleinen Jungen und ein kleines Mädchen.

Wie alt ist er?

Ungefähr so alt wie du. Vielleicht ein bisschen älter.

Und du hast sie nicht gegessen?

Nein.

Du isst keine Menschen.

Nein. Wir essen keine Menschen.

Und ich kann mit dir kommen.

Ja.

Also gut.

Okay.

Sie gingen in den Wald, der Mann kauerte sich vor die graue, ausgemergelte Gestalt unter der schrägen Sperrholzplatte und betrachtete sie. Sind das alle Decken, die du hast?

Ja.

Ist das dein Koffer?

Ja.

Er stand auf. Er sah den Jungen an. Geh schon mal zur Straße zurück und warte dort auf mich. Ich bringe die Decken und alles andere mit.

Was ist mit meinem Papa?

Was soll mit ihm sein?

Wir können ihn nicht einfach hier liegen lassen.

Doch, das können wir.

Ich will nicht, dass ihn jemand sieht.

Es ist niemand da, der ihn sehen könnte.

Kann ich ihn mit Laub zudecken?

Der Wind wird es wegwehen.

Könnten wir ihn mit einer von den Decken zudecken?

Ich mache das. Jetzt geh.

Okay.

Er wartete auf der Straße, und als der Mann aus dem Wald kam, trug er den Koffer und hatte die Decken über der Schulter. Er sah sie kurz durch und reichte eine dem Jungen. Hier, sagte er. Leg dir die um. Du frierst. Der Junge machte Anstalten, ihm den Revolver zu geben, doch der Mann wollte ihn nicht nehmen. Den behältst du, sagte er.

Okay.

Weißt du, wie man damit schießt?

Ja.

Okay.

Was ist mit meinem Papa?

Mehr kann man nicht tun.

Ich glaube, ich möchte ihm auf Wiedersehen sagen.

Geht das denn?

Ja.

Na gut. Ich warte auf dich.

Er ging in den Wald zurück und kniete sich neben seinen Vater. Wie der Mann es versprochen hatte, war er in eine Decke gehüllt, und der Junge deckte ihn nicht auf, sondern saß nur neben ihm, weinte und konnte nicht damit aufhören. Er weinte lange Zeit. Ich werde jeden Tag mit dir reden, flüsterte er. Und ich werde nichts vergessen. Ganz gleich, was passiert. Dann stand er auf, drehte sich um und ging zur Straße zurück.

Als die Frau ihn sah, schlang sie die Arme um ihn und hielt ihn fest. Ich freue mich so, dich zu sehen, sagte sie. Manchmal sprach sie mit ihm über Gott. Er versuchte, mit Gott zu reden, aber am besten war es, mit seinem Vater zu reden, und er redete tatsächlich mit ihm und vergaß nichts. Die Frau sagte, das sei schon in Ordnung. Der Atem Gottes, sagte sie, sei sein Atem und werde doch durch alle Zeiten von Mensch zu Mensch weitergegeben.

In den Bergbächen gab es einmal Forellen. Man konnte sie in der bernsteingelben Strömung stehen sehen, wo die weißen Ränder ihrer Flossen sanft im Wasser fächelten. Hielt man sie in der Hand, rochen sie nach Moos. Glatt, muskulös, sich windend. Ihr Rücken zeigte wurmlinige Muster, die Karten von der Welt in ihrer Entstehung waren. Karten und Labyrinthe. Von etwas, das sich nicht rückgängig machen ließ. Nicht wieder ins Lot gebracht werden konnte. In den tiefen Bergschluchten, wo sie lebten, war alles älter als der Mensch und voller Geheimnis.

Weitere Titel von Cormac McCarthy

Der Anwalt

Der Feldhüter

Die Abendröte im Westen

Die Border-Trilogie

Die Straße

Draußen im Dunkel

Ein Kind Gottes

Kein Land für alte Männer

Verlorene

Die Border-Trilogie in Einzelbänden:

All die schönen Pferde

Grenzgänger

Land der Freien